W9-BMC-996

D'oncle

Éditions Verdier
11220 Lagrasse

Rebecca Gisler

D'oncle

ROMAN

Collection « Chaoïd »
VERDIER

Collection dirigée par David Ruffel et Lionel Ruffel

www.editions-verdier.fr

ISBN : 978-2-37856-113-0

Pour Victor et Yannick

Qu'est-ce qui fait siffler mes oreilles ? D'où remontent les bulles qui explosent dans l'air ? Suis-je une écorce pleine de chair ineffable ou de la chair ineffable corsetée d'écorce ? Où est ma queue de chien ? Où sont mes antennes de hanneton ? Au paradis, des colibris me nettoyaient les oreilles et les yeux. Maintenant, je dois le faire moi-même et j'ai acquis peu à peu une grande dextérité pour ce travail. Au paradis, on me torchait le derrière.

EUGÈNE SAVITZKAYA

I

Une nuit, je me suis réveillée avec la certitude que l'oncle s'était enfui par le trou des toilettes, et alors, poussant la porte des cabinets, j'ai constaté que l'oncle, en effet, s'était échappé par le trou des toilettes, et sur le carrelage il y avait un tas de confettis de papier hygiénique et des plumes blanches par centaines, comme si quelqu'un y avait fait une bataille de polochons, et la cuvette des toilettes ainsi que les murs étaient badigeonnés de poils et de toutes sortes de fientes, et regardant le petit trou de faïence, je me suis dit que ça n'avait pas dû être facile pour l'oncle, et je me suis demandé ce que j'allais pouvoir faire pour le sortir de là, sachant que l'oncle doit peser un bon quintal, et j'ai tout d'abord pris la brosse des toilettes et je l'ai enfoncée le plus loin possible dans le trou au fond duquel stagnait une eau brunâtre, et j'ai remué la brosse mais ça ne servait à rien, peut-être l'oncle avait-il déjà atteint la fosse septique, et remuant ainsi, l'eau marécageuse débordait sur le sol, charriant dans son flot de répugnantes matières, et je glissais et mes genoux s'enfonçaient dans ce conglomérat, et je me serais presque crue dans la baie, juste après que la mer s'est retirée, quand tout est bien vaseux et nauséabond.

À quatre pattes et trempée d'eau de chiottes jusqu'aux coudes, j'ai retenu ma respiration et je me suis penchée, et j'ai carrément plongé ma tête dans le trou des toilettes, et dans l'eau j'ai crié le prénom de l'oncle, et le prénom de l'oncle a résonné dans les profondeurs, mais l'oncle ne répondait pas alors j'en ai conclu que je ne pouvais plus rien faire pour le sauver, et qu'il allait devoir s'en sortir par lui-même pour une fois, et c'est à cet instant que mon frère a ouvert la porte derrière moi, et mon frère portait un tee-shirt vert fluo qui lui arrivait tout juste au nombril, et sur le tee-shirt il était écrit *día libre,* et mon frère dort toujours avec ce tee-shirt, et chaque fibre de ce tee-shirt est imprégnée d'une odeur de fleurs, de l'odeur de l'une de ces délicieuses fleurs qui fleurissent au printemps dans le jardin, et mon frère est un fervent amateur d'amour et de fleurs, et il avait les yeux encore collés d'un sommeil profond quand il est entré dans les toilettes, et je lui ai demandé s'il avait bien dormi, et mon frère s'est couvert le nez avec son tee-shirt, et il m'a tendu la main pour m'aider à me relever et il m'a dit : aujourd'hui c'est toi qui nettoies, moi je l'ai fait hier.

2

Assis, l'oncle a le ventre comprimé contre la table, et le ventre de l'oncle est tellement gros qu'il a l'air séparé du reste de son corps, comme un fardeau, ou comme un animal de compagnie, mais il faut dire que malgré son ventre qui est sûrement très lourd, l'oncle se tient toujours bien droit, son dos s'adapte gentiment au dossier de la chaise et non l'inverse, et son ventre de compagnie déborde toujours un peu sur la table, et il ondule et il gargouille tout à fait comme un animal qui serait posé sur ses genoux, et l'oncle regarde l'écran noir de la télévision et il dit, dommage qu'elle ne marche pas la télé quand même.

L'écran noir de la télévision est taché de nombreuses empreintes digitales car l'oncle, à l'époque où la télévision fonctionnait, appuyait volontiers ses gros index sur l'écran, et bien que la télévision aujourd'hui ne fonctionne plus, l'oncle continue de regarder l'écran noir jusqu'à ce que je lui apporte son dîner, comme si du vide lui parvenait encore quelque souvenir de ses programmes favoris, et devant son assiette, l'oncle se frotte les mains et dit, pas de mouette aujourd'hui, et il rigole, mais moi, ça ne me fait pas franchement rire, alors je souris, et je réponds, non pas de mouette aujourd'hui, et l'oncle dit, le poivre, et je dis, dans la cuisine, et l'oncle se lève pour aller chercher le poivre, et il respire fort, et il toussote.

De retour à table, il poivre son omelette en tapant bien fort du plat de la main sur le cul de la poivrière en plastique, et le poivre sort d'un coup, et quand il juge l'omelette convenablement poivrée, c'est-à-dire intégralement recouverte d'une couche de poudre grise, l'oncle commence à la manger, or dès la première bouchée, le poivre monte au nez de l'oncle et des larmes lui viennent aux yeux, et il rougit sensiblement, et c'est alors que l'oncle éternue, une première fois bien fort, une seconde fois plus fort encore, sans même prendre la peine de mettre sa main devant sa bouche, et il asperge la table de ses crachures, et calmement je lui conseille de se moucher.

Et si je reste calme c'est que je suis habituée à ce genre d'explosions, mais l'oncle n'a guère loisir de suivre mon conseil car un autre éternuement se prépare, venu des profondeurs et qui risque de tout balayer sur son passage, et je prends sur moi de lui tendre un mouchoir, et la tête de l'oncle est écarlate à présent, comme si elle était sur le point d'éclater et de fait elle éclate une nouvelle fois, et l'oncle recrache un bon morceau de son omelette baveuse et, ce constatant, je me permets de lui prodiguer un second conseil, avec un peu de fermeté cette fois, à savoir qu'il ferait mieux d'arrêter le poivre s'il ne le supporte pas.

Mais l'oncle est persuadé que ses crises d'éternuements n'ont rien à voir avec le poivre, il réfute mon conseil d'un pouffement comme si celui-ci découlait d'une théorie hautement fantaisiste, et je n'ai alors de meilleur choix que de lui tendre un autre mouchoir, et il se mouche bruyamment, puis il se lève pour balancer les mouchoirs usagés dans l'âtre froid de la cheminée, et il en revient haletant, visiblement un peu sonné, et il se rassoit, et il termine son omelette, et il dit qu'elle est très bonne l'omelette, et à côté de l'omelette il y a des rondelles de tomates et une tranche de pain à l'ail, et comme toujours l'oncle garde ce qu'il aime le mieux pour la fin, c'est le pain à l'ail que l'oncle croque en dernier, en grognant, en gémissant, en émettant de petits râles de satisfaction.

L'oncle est toujours assis à la place la plus proche de la télévision, et moi je suis toujours assise à la place la plus éloignée de l'oncle, et mon frère, avant de partir, avait pris l'habitude de s'asseoir loin de la table, et loin de l'oncle et loin de moi, car il préférait manger sur le canapé, derrière l'oncle, et parfois l'oncle, en cette époque assez récente où la télévision fonctionnait encore, regardait les informations en mangeant, et quand il regardait les informations, il mettait le volume à son maximum, et il était déconcentré dans son repas par les informations alarmistes et sensationnalistes que lui dispensait la vieille petite télévision, et l'une de ses activités préférées consistait à commenter et à exagérer ces informations, et il disait qu'il allait faire cent cinquante degrés le lendemain, et il disait qu'une comète allait bientôt frôler la Bretagne, et il disait que le virus se transmettait par les morsures de mouches, et il disait qu'il y avait des tiques géantes à la frontière belge, et je savais que mon frère avait de plus en plus de mal à écouter l'oncle débiter ces insanités, et parfois mon frère essayait d'expliquer à l'oncle pourquoi il ne devait pas croire tout ce qu'ils disaient à la télévision, mais l'oncle ne l'entendait pas de cette oreille, selon lui le monde était plus intéressant ainsi, enflé, boursouflé, perclus d'événements lointains et meurtriers, comme la sempiternelle rediffusion d'une série Z.

Mon frère avait fini par ne plus rien dire, et par ne plus regarder les informations, et à table, quand l'oncle était hypnotisé par la télévision et que son repas refroidissait devant lui, moi je regardais mon frère qui s'abîmait dans la contemplation du crâne de l'oncle, du crâne de l'oncle sur lequel pousse ce qu'il est d'usage d'appeler un poireau, et mon frère plissait les yeux pour regarder cet énorme grain de beauté plutôt moche sur la tête de l'oncle, car mon frère étrangement porte depuis toujours un intérêt particulier à ce poireau crânien, il lorgne dessus, et quand il plisse les yeux pour l'observer, on croirait qu'il contemple un menhir dans la brume, et il ne peut s'empêcher de sortir ses grandes dents et de se déformer le visage, et j'ai beau lui répéter qu'il n'a pas l'air malin ainsi, c'est difficile de se défaire des bonnes vieilles habitudes, comme dit l'oncle qui n'aime pas trop que j'embête mon frère, comme dit l'oncle qui aime son neveu par-dessus tout.

Il est peut-être important de préciser que nous ne nous asseyons jamais en face de l'oncle, la place en face de l'oncle étant réservée aux invités que l'on veut mettre à l'épreuve, aux nouvelles amoureuses de mon frère, par exemple, à toutes sortes de jeunes gens trop polis pour se révolter, car dîner en face de l'oncle c'est accepter de partager sa nourriture, je veux dire que c'est accepter les trombes de postillons qu'il vous partage à la figure, en effet l'oncle est très bavard, et ce surtout avec les nouveaux venus, ceux qu'il s'agit de mettre à l'aise.

Enfants, nous passions généralement une grande partie de l'été dans la maison de nos grands-parents, laquelle, depuis leur mort, est devenue la maison de l'oncle, leur fils, mais la maison de l'oncle est aussi la maison de vacances de ma mère, sa sœur, qui y séjourne cinq semaines en été et deux semaines en hiver, et à vrai dire, plus le temps passe, moins nous savons à qui cette maison appartient, et récemment, avec l'oncle et mon frère, nous avons formé ce que j'appellerais une colocation involontaire, ou une communauté d'oisifs, ou une congrégation d'oiseux : loin de nous l'idée de nous en plaindre.

La maison de l'oncle se trouve dans un petit hameau face à la mer, et c'est une maison blanche aux volets bleu pâle fendus par le vent salé de la baie, une maison aux murs grignotés par le lierre dont nous arrachions les frondes chaque été en famille, sachant pourtant que cela ne servirait à rien, et qu'elles repousseraient d'une année sur l'autre, maculant la façade d'ombres et d'étoiles indélébiles, et c'est vrai qu'il aurait fallu s'y prendre plus tôt, surveiller la croissance de la plante destructrice, mais nous n'étions alors que des vacanciers, des saisonniers, des amateurs, et nous ne pouvions compter sur l'oncle pour s'acquitter de cette tâche, car l'oncle aime le lierre, trouve qu'il donne à la maison un aspect de maison hantée, de maison abandonnée quelque part au bout du monde et, de fait, la maison continue de s'éroder dans le hameau perdu, entre deux prés où paissent des chevaux aux iris bleu et rouge.

L'oncle, pourtant si proche de la mer, ne se baigne jamais et justifie cela en nous assurant que les locaux ne se baignent jamais, que la baignade est réservée aux touristes, et que de toute façon l'eau est pleine de lisier ces temps-ci, pleine de crottes de porc et d'algues vertes, ce qui n'a pas l'air de déranger ceux qui s'y baignent toujours, les touristes en question, ceux qui continuent de pêcher dans les vasières où l'on trouvait jadis de beaux crabes rouges et des araignées de mer, lesquels ont cédé la place à de petits crustacés translucides et anonymes, comme rongés par le ressac huileux, fatigués d'obliquer dans la tourbe.

Quand nous avions l'âge de ne connaître que notre propre âge, nous ne savions pas que notre oncle était déjà plus vieux, car nous prenions, tous les trois, l'oncle, mon frère et moi, grand plaisir à nous déguiser, et l'oncle nous fabriquait des coiffes indiennes et des épées de pirates, et c'était toujours lui qui distribuait les jouets ou qui courait à la fenêtre du premier étage pour lancer le boomerang en direction de mon frère qui attendait, les yeux plissés, les mains en l'air, dans le jardin, et souvent notre oncle nous promenait dans la baie où il nous montrait comment arracher les bulots et comment les avaler tout crus, et il avalait des bulots avec la coquille, et des bigorneaux aussi, et des couteaux, et des algues, et des pieuvres, et l'oncle était un ogre, et à l'époque, il était mince et mou, mais tout de même assez fort pour nous porter sur son dos et tout de même assez souple pour se cacher sous la haie, et quand nous venions pour les vacances, il passait des journées entières à jouer avec nous, il n'avait rien de mieux à faire, car à l'époque il ne travaillait pas encore à l'abbaye, et il ne s'arrêtait de jouer que pour tirer sur sa cigarette, et la cigarette était peut-être la seule chose qui nous différenciait, lui l'oncle et nous les enfants, les vrais enfants.

Cela doit faire plus de vingt ans que l'oncle ne va plus dans la baie, car pour accéder à la baie, il faut longer un sentier étroit, un sentier à flanc de coteau, puis descendre un escalier raide et rocailleux, puis patauger un bon moment dans la plus épaisse des vases, et ce n'est pas pour rien que nous appelons ce chemin le chemin de l'aventure : l'escalier est recouvert d'algues et de lichens, et il peut être très dangereux, très glissant, selon les marées qui mouillent plus ou moins la roche, mais l'oncle n'est plus du genre à crapahuter dans la caillasse : c'est à peine s'il parvient à descendre l'escalier qui mène au salon.

Cet escalier, on pourrait presque dire que l'oncle le descend en rappel, dans la mesure où il le descend pour ainsi dire à reculons, en s'appuyant de tout son poids contre la rampe, face tournée vers les marches et fesses tendues vers le salon, non par fantaisie mais bien parce qu'il doit allonger son torse contre la rampe le temps de reprendre appui sur sa jambe valide, ceci à cause d'une plaque en fer qui l'empêche de plier sa jambe gauche, et le vieux bois de frêne grince à chacun de ses mouvements, et chacun de ses mouvements soulève quantité de poussière, et peu avant la dernière marche l'oncle commence à se redresser, et ce redressement annonce la fin de cette laborieuse descente, et l'oncle enfin pose pied sur le carrelage du salon, et il peut dès lors se camper dans sa position favorite : pieds joints par les talons, pointes vers l'extérieur, dans une sorte de contrapposto qui rappelle un peu la position des ballerines au repos, alors on se rend bien compte que cette raideur et cette claudication sont dues à une déformation de la hanche, hanche sur laquelle fut un jour vissée une grosse plaque de métal, et c'est depuis ce jour que l'oncle boite et s'essouffle et peine à se déplacer, et c'est aussi depuis ce jour, n'étant pas du genre à se laisser abattre, que l'oncle glisse sur le carrelage du salon, qu'il ne boite pas mais qu'il patine sur ses chaussettes, avec une certaine grâce d'ailleurs, une grâce de ballerine ou de serpillière.

L'oncle, en matière d'activités d'extérieur, se limite aujourd'hui à de petits tours dans le jardin, où il lui arrive, par beau temps, d'installer une cible sur des tréteaux et de tirer à l'arc, ou bien encore de tondre la pelouse, ou bien encore de parcourir cette pelouse en tous sens pour y planter ses pièges à taupes.

Les pièges à taupes sont des machins tubulaires qui émettent des ondes sonores toutes les quarante secondes, des ondes qui font fuir les taupes et que les êtres humains ne sont pas censés percevoir, aussi il est bien possible que nous nous soyons transformés en taupes, mon frère et moi, car notre longue cohabitation fut entrecoupée, toutes les quarante secondes, par une stridence bien perceptible et dont l'origine ne demeura pas longtemps mystérieuse, et comme les pièges sonnaient également la nuit, nous priâmes l'oncle de les retirer, mais l'oncle qui est parfois coriace refusa d'entendre notre requête, et peut-être alors que nous nous sommes habitués au sifflement désagréable, à moins que nous ne nous soyons finalement transformés en êtres humains.

Quand nous avons commencé notre colocation, mon frère venait de tomber amoureux d'une Barcelonaise et la nuit, dans le noir, il s'échinait à écrire des lettres d'amour en espagnol, et il comblait les creux de sa journée en écoutant des récits pour grands débutants, une fois c'était l'histoire d'un obèse qui voulait participer à un marathon, une autre fois l'histoire d'une princesse qui ne savait pas monter à cheval, et mon frère était prêt à tout pour apprendre l'espagnol, et il a eu le temps de progresser car nous avons passé quatre mois dans la maison de l'oncle en compagnie de l'oncle, ceci pour des raisons que je ne m'explique pas bien, et parfois, je me levais la nuit pour arracher les pièges à taupes, en espérant que l'oncle ne s'en rende pas compte, mais l'oncle, quand ça touche à la traque de ses ennemies les taupes, ne se laisse pas circonvenir, et il réinstallait son piège aux aurores, sous le regard interloqué des premières mouettes.

L'oncle est un adversaire patient qui a mené plus d'une guerre d'usure sans jamais céder à la colère, souvent il dit chacun ses ennemis, et ses ennemis à lui ce sont les taupes et les nôtres, comme par hasard, ont des noms de maladies de peau, chancre ou tavelure par exemple, et mon frère a longtemps lutté contre les parasites, contre les fourmis et les pucerons qui harcelaient nos quatre fruitiers malingres, nos quatre fruitiers qui nous donnèrent tant de soucis, car il faut savoir que nombreux sont les dangers pour un arbre dans un jardin, constat que l'oncle jugeait bien trop alarmiste, et l'oncle, pendule en main, nous assurait que les arbres allaient survivre aux vents et aux rouilles, et il diagnostiquait cela en tant que maître du pendule. Jamais l'idée de s'autoproclamer maître du pendule ne lui traversa l'esprit, lui plus modestement disait qu'il pratiquait la radiesthésie, mais nous, ses neveux, jugions cette humilité excessive, et souvent nous l'appelions maître du pendule, car il faut savoir qu'une fois, grâce au pendule, l'oncle avait retrouvé le jeu d'échecs disparu dans le fatras de l'atelier, et une autre fois, encore grâce au pendule, l'oncle avait retrouvé son oncle, mort, mais le pendule, d'ordinaire infaillible, se trompait sur ce coup, je veux dire sur celui des arbres, il n'y avait qu'à voir leurs mauvaises mines : notre oncle disait toujours que tout allait bien et il nous priait aussi d'arrêter de tirer la tronche comme s'il y avait eu mort d'arbre.

3

Mon frère est né au mois d'août, et au mois d'août, l'oncle n'oublie jamais d'acheter un cadeau d'anniversaire à mon frère, et souvent, du propre aveu de l'oncle, le cadeau a été mûrement et longtemps réfléchi dans les rayons du supermarché, parce que l'oncle veut être sûr de faire plaisir à son neveu, et pour viser juste, rien ne lui paraît mieux indiqué que de se fier à ses propres préférences, et l'oncle part du principe que son neveu partage en toutes choses ses goûts, comme si tous deux, oncle et neveu, avaient été coulés dans le même moule, et c'est pourquoi il achète toujours le cadeau d'anniversaire en deux exemplaires : deux DVD de *Rambo,* deux couteaux à beurre au manche en forme d'hermine bretonne, deux tee-shirts tête de mort en taille extra-large, et quand mon frère fait gentiment remarquer à l'oncle que le tee-shirt est mille fois trop grand pour lui, l'oncle répond que cela n'a pas d'importance, car ainsi il pourra encore grandir dedans, car ainsi il pourra toujours grandir dedans, et l'oncle a peut-être cru que son neveu et lui étaient du même gabarit, à moins que pour l'oncle, vieillir signifie grandir éternellement.

Mon frère et l'oncle n'ont pas tout à fait le même gabarit, ni le même âge, ni les mêmes cheveux : l'oncle n'a presque plus de cheveux, il lui reste deux petites touffes clairsemées sur les côtés du crâne, tandis que mon frère est bien chevelu, une belle tignasse brune et de gros sourcils, et mon frère a son permis de conduire, et l'oncle n'a pas son permis de conduire, et l'oncle, adolescent, possédait une mobylette avec laquelle il atterrissait souvent dans le fossé en rentrant de la boîte de nuit, et quand ces temps furent révolus, l'oncle opta pour un scooter qu'il appelle avec une comique fierté virile « mon engin », comme s'il s'agissait d'une Harley-Davidson alors que l'engin en question fait du trente, du quarante à la rigueur, et encore, en descente, mais selon l'oncle c'est très bien comme ça, car nombreux sont les contrôles routiers ces temps-ci, et tout en se méfiant des contrôles routiers, l'oncle semble prendre un immense plaisir à chevaucher son engin, et il a l'air énorme sur sa minuscule machine pétaradante.

À l'époque, il lui arrivait même de laisser la visière de son casque ouverte pour fumer une cigarette et, parfois, comme la visière était ouverte et que c'était l'été et que l'oncle roulait sur son engin, des guêpes s'introduisaient dans son casque, et il s'est fait piquer plus d'une fois sur la joue ou dans le cou, mais l'oncle fort heureusement n'est pas allergique aux piqûres de guêpes, et pour calmer la piqûre, l'oncle explique qu'il suffit de s'arrêter au bord de la route, d'aviser un arbre à l'abri des regards, de s'uriner dans le creux de la main, puis de se masser vigoureusement à l'endroit de la piqûre, une technique de l'armée, dit-il.

Le jour où l'oncle a appris qu'il était accepté à l'armée fut un grand jour, et son papa était très fier d'apprendre que son fils allait être grenadier, très fier et peut-être même un peu surpris, et le matin du départ, pour fêter la bonne nouvelle, l'oncle et son papa se sont rendus dans un bistrot des abords de la gare de l'Est, et ils ont trinqué à la santé des grenadiers, des parachutistes, des légionnaires, à la santé des grands garçons.

L'oncle parle de l'armée en des termes qui ne trahissent aucun sentiment particulier, c'est une de ces choses qu'il a faites dans sa vie, comme les études d'horticulture au château d'Arnouville, comme les missions d'intérim sur les plateaux de l'ORTF, et comme cet étonnant poste d'archiviste qu'il aurait occupé pour le compte d'une compagnie d'assurances située à la station Marcadet-Poissonniers.

J'ai toujours eu du mal à imaginer l'oncle en archiviste, mais j'ai aussi quelque mal à me le représenter en militaire, car l'oncle n'est pas du genre belliqueux, bien au contraire, et c'est ce qui étonne à l'entendre parler, sur un ton un peu martial, d'AK47, de grenaille et de parabellum, et c'est ce qui étonne à l'entendre raconter ses anecdotes de dortoirs et de permissions avec un peu de vantardise, comme d'autres j'imagine se souviennent de leurs faits d'armes et de leurs quatre cents coups, l'oncle, lui aussi, revisite à chaque fois les mêmes souvenirs.

L'oncle dit qu'il n'a jamais réussi à suivre le rythme des autres et qu'il se tenait toujours un peu en arrière, une deux, une deux, comme un crabe trop lourd, gauche droite, gauche droite, c'est comme ça qu'il fallait avancer, un pas après l'autre comme tout le monde, et l'oncle nous répète toujours comment, lors d'une parade, le caporal avait arrêté le régiment, et comment le caporal avait demandé d'en extraire « le pédé qui chante avec une voix aiguë », et comment le caporal avait crié « où est-il ce pédé ? » et l'oncle raconte comment il avait fini par comprendre et qu'il s'était avancé sous un tonnerre de rires, et comment lui aussi riait sous ce tonnerre de rires qui se déversait sur lui, et quand j'entends cette anecdote je m'imagine toujours comment le caporal devait se tenir face à l'oncle et comment il devait lui hurler dessus, et comment le caporal, par l'exemple, faisait comprendre aux conscrits qu'on ne tolérerait pas le plus petit début d'extravagance, qu'il fallait marcher au pas au propre comme au figuré, et que ça valait pour tout le monde et que c'était une leçon pour la vie, et quand l'oncle raconte cette histoire, il ne manque jamais de préciser que c'était lui qui chantait avec une voix aiguë, au cas où mon frère et moi nous ne l'aurions pas compris, et il en rit toujours, l'oncle, de cette anecdote, et nous rions avec lui comme si nous nous tenions avec lui dans le rang, tous les trois soldats au service de la patrie.

Tous les étés, pendant ses trois semaines de vacances, ma mère songe à ces belles choses qu'elle pourra faire plus tard, bientôt peut-être qui sait, quand elle ira vivre dans la maison de ses parents, à sa retraite, après l'effort, bientôt peut-être, qui sait, le réconfort.

Et ma mère s'achètera une ou deux chèvres qu'elle parquera dans un coin du jardin et dont elle tirera du lait qui deviendra, comme par magie, du fromage, et elle installera des ruches aussi, et elle plantera des œillets côté sud, et des roses de Ronsard, et des camélias, et des magnolias, et elle pourra même reprendre la peinture, et elle pourra aussi s'acheter un chien, ou deux chiens, ou trois chats, en plus des chats qu'elle a déjà et qui ont des problèmes de thyroïde, et puis surtout, elle pourra prendre son temps, pour dormir, et pour lire les livres qu'il faut, paraît-il, avoir lus passé un certain âge, et elle pourra prendre son temps pour marcher sur le sentier, et pour regarder la mer, ce magnifique panorama, et ma mère aussi se dit qu'un jour, elle agrandira la maison, et cette pensée la renvoie aux plans de construction qui doivent bien se trouver quelque part sous le fatras de l'atelier, aux plans sans lesquels elle ne pourra rien entreprendre, car sans ces plans qu'elle n'a d'ailleurs jamais vraiment cherchés, elle ne peut savoir par où passent les canalisations, et si elle ne sait pas par où passent les canalisations, elle risque de percer un gros tuyau en creusant de ses petites mains les nouvelles fondations, et puis, en plus de ça, elle ignore à peu près tout de la loi en vigueur concernant les agrandissements sur le littoral, sont-ils seulement autorisés ? où faut-il se renseigner ? et dire qu'il va aussi falloir s'occuper de la voiture, et de son importation, et du certificat de conformité, et du contrôle technique, et du quitus fiscal, et de son frère avec lequel elle va devoir cohabiter un jour ou l'autre, et de son frère qui un jour ou l'autre ne pourra plus marcher, et de son frère à qui il va bien falloir changer les couches un jour ou l'autre, et ma mère en a presque envie de vomir.

Mais ma mère se rassure : elle n'a même pas les moyens de payer le traitement à l'iode radioactif de ses chats, et il lui reste, au bas mot, une dizaine d'années de travail à tirer.

L'oncle et ma mère ont tous les deux passé leur enfance à Montmagny en banlieue parisienne, et tous les deux en gardent un souvenir à la fois bon et lointain, et il y a quelques années, avec ma mère, nous y sommes allées, à Montmagny, et nous y avons vu une ville grise et sans intérêt, et nous sommes restées plantées devant un HLM, et ma mère a pointé du doigt plusieurs fenêtres, elle hésitait, et elle ne se souvenait plus très bien où se trouvait la chambre de l'oncle et où se trouvait la sienne, et ni d'ailleurs si c'était l'appartement du haut ou celui du bas, puis elle a fini par dire, oh je ne sais plus, et elle semblait déçue d'elle-même, et nous avons fait demi-tour, nous avons descendu la rue jusqu'à la gare, et juste en face de la gare, il y avait un panneau, et le panneau disait que la ville de Montmagny était jumelée avec une autre ville de Montmagny, au Québec, et ma mère a dit qu'elle ne savait pas, et qu'il n'y était pas ce panneau à l'époque, et un soir d'été, à table, ma mère a demandé à son frère si lui savait que Montmagny était jumelée avec Montmagny au Québec, mais l'oncle n'en avait jamais entendu parler non plus, et pour lui, il n'y avait qu'une ville de Montmagny, celle où il avait appris à jouer de la batterie, et celle où grâce à son ami Manu il avait découvert ce qu'il nomme encore aujourd'hui « la bonne musique », le heavy metal des années quatre-vingt.

Manu était l'ami d'enfance de l'oncle, et il était aussi son voisin, il vivait dans l'appartement du dessus avec ses parents, et avec ses quatre sœurs, et avec ses deux frères, et Manu et l'oncle, tous les deux les petits derniers, s'étaient bien trouvés un mercredi après-midi de grisaille dans la cage d'escalier, et je les imagine donc inséparables, et Manu est le seul ami dont nous a jamais parlé l'oncle, et Manu avait non seulement fait découvrir la bonne musique à l'oncle, mais il lui avait aussi enseigné une certaine attitude caractéristique des amateurs de cette bonne musique-là, et sur les photos de cette période, on voit l'oncle portant une veste en jean ornée de pin's, des santiags, un bandana dans les cheveux, et c'est depuis l'époque de Manu que l'oncle avait développé une conception très particulière du heavy metal, sa conception bien à lui, hétérodoxe si l'on veut, une conception qui n'a pas grand-chose à voir avec ce genre musical assez démodé me semble-t-il, car sous l'appellation heavy metal, l'oncle regroupe pour ainsi dire tout ce qu'il aime, l'associant du même coup à ces belles années d'apprentissage et de rigolade en compagnie de son copain Manu.

Le heavy metal, pour l'oncle, c'est la cité Beauregard à Montmagny, au croisement de la rue des Acacias et de la rue d'Épinay, et le heavy metal c'est les après-midi passés avec Manu dans sa chambre, et le heavy metal c'est les premiers magnétoscopes, et les disques volés à la Fnac de Rosny 2, et les vingt-quatre heures de garde à vue, et le heavy metal c'est les lits en portefeuille et le chewing-gum dans les charentaises, c'est regarder les sœurs de Manu se doucher, c'est péter bien fort, c'est le coup du pot de yaourt en feu, c'est couper les freins du vélo, c'est fumer, c'est boire, beaucoup, jusqu'à tomber, jusqu'à vomir, en écoutant Iron Maiden, et tout ça pour rire.

Aujourd'hui l'oncle ne joue plus de batterie, ses cymbales rouillent dans un coin de sa chambre, sous un poster d'Iron Maiden taché d'humidité, mais l'oncle s'est récemment pris de passion pour le tir à l'arc, et deux ou trois fois par an, quand nous venons chez lui pour les vacances, il nous prie de l'emmener au magasin de sport, où il s'achète des cibles et des arcs, et quelques flèches et des médailles qu'il ne manque pas de se décerner solennellement au terme d'une séance de tir bien menée.

Et quand je demande à l'oncle ce qu'est devenu Manu, l'oncle devient évasif, et il se met à parler du heavy metal, et il radote ses vieilles histoires d'enfance, mais j'ai tout de même réussi à lui soutirer quelques informations un jour, et je sais que Manu a plusieurs fois essayé de le joindre après son déménagement en Bretagne, et je sais que l'oncle n'a pas souhaité donner suite à ces appels, et il semble donc qu'ils ne se soient pas quittés en très bons termes, et l'oncle m'a confié qu'il ne voulait pas que Manu débarque ici, ce qui paraît peu probable étant donné qu'aux dernières nouvelles Manu serait cloué dans un fauteuil roulant.

C'est en mille neuf cent quatre-vingt-douze que l'oncle et ses parents ont définitivement quitté la banlieue parisienne pour s'installer à la campagne, l'oncle avait alors vingt-cinq ans, et ma mère vivait déjà en Suisse depuis une dizaine d'années, et moi je venais de naître, et c'est en juillet mille neuf cent quatre-vingt-douze que l'oncle, ma grand-mère et mon grand-père ont posé leurs bagages en Bretagne, comme ils le faisaient tous les étés, avec chapeau de soleil et pull en laine, mais pour n'en plus jamais repartir cette fois-ci, et mon grand-père a aménagé une chambre à son fils à l'étage, dans la pièce attenante à son atelier, et ma grand-mère a vite commencé à déplorer la bonne entente qui régnait entre ces deux-là.

Sitôt la famille installée en Bretagne, mon grand-père s'est mis en tête de trouver du travail à son fils qui approchait la trentaine. Il lui a fallu près de cinq ans d'intense prospection pour lui trouver son poste de jardinier à l'abbaye. Cinq ans durant lesquels père et fils ont écumé les villages des environs, faisant halte dans chaque bar PMU et chaque débit de boissons pour s'enquérir des éventuelles opportunités qui s'offraient alors à un jeune jardinier, pour fraterniser avec la population locale, car ils misaient tout sur le bouche-à-oreille. Mon grand-père et l'oncle, dès le matin, se faisaient une règle de ne négliger aucune enseigne ni aucune étape du protocole, ils entraient dans le bar, se présentaient, prenaient place au comptoir et trinquaient autant de fois que la politesse l'exigeait, affirmant que leur travail consistait à chercher du travail, jusqu'à ce qu'un beau jour, cinq ans après le début des recherches, leurs efforts finissent par payer : ils portèrent un toast aux longues allées et aux magnifiques jardins potagers de l'abbaye.

L'oncle a été obligé de corriger son allure quand il a commencé à travailler chez les bonnes sœurs, un travail qu'ils avaient mis longtemps à dégoter et qu'il s'agissait donc de conserver le plus longtemps possible : du jour au lendemain, c'en était fini des croix inversées et des bracelets à clous, des cheveux longs et des moustaches à la Vercingétorix, et c'est à cette époque que l'oncle a élaboré son accoutrement qui consiste en un pantalon de jogging et un tee-shirt, et l'oncle depuis lors se vêt ainsi par tous les temps, comme s'il ne connaissait qu'une seule et même saison tiède.

À voir ses vieux joggings usés par un mode de vie pas franchement sportif, maculés de toutes sortes de fluides, on pourrait croire que l'oncle est seulement préoccupé de confort, or ce n'est pas tout à fait le cas, l'oncle accorde une certaine importance au choix de ses vêtements, et ce sont surtout ses tee-shirts qui en témoignent, certains d'entre eux font montre de ses préférences en matière de musique et de littérature (Les Ramoneurs de Menhirs, *Hulk*), d'autres, acquis au marché du village, portent des messages abscons, un robot qui fait un doigt d'honneur par exemple, et l'oncle, pour une raison qui m'échappe un peu, apprécie également beaucoup les tee-shirts que lui offre Erwan, un de ses collègues de travail, et les tee-shirts que lui offre Erwan sont souvent trop petits et assez moches, et ils portent tous des inscriptions publicitaires – EDF, Jardiland, Mr Bricolage, Moto Évasion Plancoët –, et ces tee-shirts sont, si j'ai bien compris, les rebuts d'une collecte organisée par Erwan en faveur des nécessiteux népalais, et l'oncle arbore ces tee-shirts avec fierté, comme un gage de fidélité à Erwan et à ses Népalais qui vivent quelque part dans un pays appelé

Népal, dit l'oncle, un Népal si lointain qu'Erwan est obligé de s'envoler chaque année pour s'y rendre, dans ce pays que l'oncle ne connaît que par ouï-dire, grâce aux histoires qu'Erwan lui raconte en récoltant les pommes de terre et en ramassant les feuilles mortes.

L'oncle déteste les capuches. J'ignore la raison de cette haine, et j'ignore aussi ce qui a poussé l'oncle à acquérir malgré tout un blouson à capuche, car l'oncle, j'ai omis de le préciser, possède quand même un blouson pour les grands froids et les longues traversées sur son scooter, et ce blouson se trouve être un blouson à capuche, et ce problème n'a pas longtemps résisté à la ruse de l'oncle, qui lui a trouvé une solution radicale, efficace et gratuite : il se contente de replier cette capuche disgracieuse sous l'épaisseur molletonnée de son col, et c'est lui qui m'a fait part de ce petit secret tandis que je le questionnais sur l'étrange bourrelet formé dans son dos par sa maudite capuche, et alors je lui avais proposé de la couper, cette capuche qui lui donnait l'air d'un bossu médiéval sorti d'un tableau de Jérôme Bosch, mais non, m'avait-il répondu, ça fait vachement bien comme ça.

4

Je n'arrive pas à me faire une image bien claire de ma grand-mère, je l'ai connue pourtant, quelques étés, et de ces quelques étés je garde l'image d'une femme hagarde aux joues affaissées, aux commissures toujours légèrement écumeuses, et je me souviens surtout qu'elle nous inquiétait un peu, moi et mon frère, cette manière qu'elle avait de vouloir nous faire goûter ses fraises et ses biscuits, elle avait quelque chose de brutal, de pressant, quelque chose qui nous rebutait et je me souviens qu'elle portait des vêtements fabriqués à partir de chutes de tissus trouvées ici et là, et des écharpes tricotées au crochet et de curieuses boucles d'oreilles en plastique, et je me souviens que mon grand-père la surnommait Belette, et je sais que ses boîtes à maquillage pleines de bâtons de rouge à lèvres écrasés sont encore entreposées dans l'atelier, et c'est à peu près tout ce qu'il reste d'elle, et selon une légende familiale sujette à caution, elle aurait été doublure de Brigitte Bardot, et il y a une vingtaine d'années, l'oncle et ma mère sont allés au large de la presqu'île de Crozon, d'où ma grand-mère était originaire, et ils y ont dispersé ses cendres, et l'oncle se souvient que ma mère et lui avaient aussi profité de cette excursion pour manger un bon plat de moules.

Du temps de Montmagny, mon grand-père était décorateur sur les plateaux de l'ORTF, du genre bricoleur, donc, et l'on trouve dans son atelier les reliquats d'une vie entière de menus rafistolages, c'est-à-dire : des éléments de décors transformés en meubles, des lampes à abat-jour extravagants, des phonographes, des instruments de musique hors d'usage, des vieilleries poussiéreuses en tout genre, et avec toutes ces choses, et son odeur de champignonnière caractéristique, l'atelier ressemble aujourd'hui à l'arrière-salle d'un magasin d'antiquités de province.

En mille neuf cent quatre-vingt-douze, mon grand-père a tout plaqué pour se consacrer à la peinture de femmes nues sur fond de plage, et il semble qu'il ait réussi à tirer subsistance de cette activité pendant une petite dizaine d'années, car les sept cents toiles de femmes nues sur fond de plage entreposées dans l'atelier sont, entre autres choses, ce qu'il reste de mon grand-père, et à part ça, j'ai le souvenir, assez vague, d'un homme chaleureux et blagueur, et je sais qu'il est mort d'une cirrhose quand j'avais huit ans, et sur les photos, on le voit vêtu de blanc, avec un foulard autour du cou, portant collier de barbe et cheveux longs, pipe au bec, très peintre de femmes nues sur fond de plage.

Ma grand-mère, qui n'avait pas de voiture et refusait de faire du vélo, était entièrement dépendante de mon grand-père, et elle l'envoyait faire les courses au village, et mon grand-père, l'artiste peintre de femmes nues sur fond de plage, le doux rêveur fumeur de pipe et porteur de djellabas blanches, devait s'y reprendre à plusieurs fois avant de ramener la totalité des articles nécessaires au ménage, un coup c'était le liquide vaisselle qui manquait, un autre le rosbif du midi, et un autre les médicaments, et puis mon grand-père râlait, que c'était pénible à la fin ces allers-retours, mais il finissait toujours par se plier aux exigences de son épouse, à condition qu'elle laissât venir le petit, l'oncle, donc.

Le bar de la Vieille Auberge existe encore aujourd'hui, mais nous n'y allons jamais car c'est un PMU des plus sordides, probablement assez semblable à ce qu'il était il y a vingt ou trente ans, quand mon grand-père et l'oncle, de retour du rosbif, y faisaient de petites virées matinales, et l'oncle évoque ces épisodes, qu'il compte parmi ses plus beaux souvenirs, avec une grande émotion, et il nous les rejoue, mimes à l'appui, sans rien nous épargner des hauts faits du « clan » de la Vieille Auberge.

Il y avait Chouquette, il y avait Jacky, il y avait Caniche, il y avait le Baron, il y avait le Druide, et le Druide, c'était l'oncle de l'oncle, et Caniche démarrait comme d'habitude avec un petit jaune, et Chouquette et Jacky, qui étaient déjà là depuis une bonne heure, s'enfilaient leur quatrième verre de rouge, et une Suze pour le Baron, et un Picon-bière pour le Druide, et un demi pour papa et un demi pour moi, raconte l'oncle, et il enchaîne avec une imitation, la voix aiguë, lointaine, du Baron qui s'était vu amputé de la moitié de sa face après un cancer de la bouche, plus de lèvres, plus de dents, deux trous à la place du nez, mais la bonne humeur, ça oui, nous dit l'oncle qui rigole au simple souvenir de ce joyeux luron.

C'est qu'avec rien dans le ventre, et de si bon matin, ça montait vite, et l'oncle aime à nous détailler l'imparable ruse qu'il élabora pour tenir la cadence assez soutenue du clan : deux doigts dans le fond de la gorge et hop, il se soulageait rapidement, en cachette, et je me demande si c'est à la Vieille Auberge que l'oncle a contracté cette habitude de discrétion, et sa petite affaire accomplie dans l'indifférence générale, l'oncle regagnait le comptoir où le Druide s'était mis à chanter des hymnes de la Wehrmacht, et certains l'accompagnaient tandis que d'autres faisaient mine de s'indigner, mais l'oncle assurait que c'était pour blaguer, et ils blaguaient assez longtemps ainsi, tous ensemble, et l'oncle et mon grand-père rentraient toujours trop tard à la maison.

À la maison, l'oncle et mon grand-père se faisaient enguirlander, ma grand-mère les accusait d'être à eux seuls une bande de poivrots, pas un pour rattraper l'autre, disait-elle, et je ne sais si ma grand-mère s'incluait dans la folle cordée des uns qui ne rattrapaient pas les autres, mais l'oncle laisse entendre que sa mère n'était pas en reste sur ce point-là, car il y avait, au fond de la grande armoire, une bouteille d'un cordial bien tassé prescrit par le rebouteux du village en cas d'anxiété, et ces retards la rendaient très anxieuse, et mon grand-père et ma grand-mère finissaient par s'accorder sur le fait qu'il y avait la queue chez le boucher et le rosbif, de toute façon, ça se mange tiède.

L'oncle aime parler de Jessy, le nomade, le rebelle qui créchait sur le canapé de Chouquette, et aussi du Baron, la gueule cassée tirée à quatre épingles, qui prenait tous les matins sa voiture pour venir à la Vieille Auberge et qui n'en repartait que le soir, juste avant les patrons, et il énumère les causes de leurs morts à tous comme s'il s'agissait de l'ultime anecdote de comptoir, cirrhose, cancer de l'anus, insuffisance rénale, et suicide aussi, Jessy, le nomade, le rebelle, et quand l'oncle nous raconte les histoires de la Vieille Auberge, il a toujours l'air plongé dans la nostalgie, celle d'un temps où il n'y avait, selon ses dires, pas de contrôles routiers.

Je n'ai malheureusement pas connu tous les membres du clan, seulement Caniche, qui avait loué un appartement à ma mère un été parce qu'il n'y avait plus de location à côté de chez ses parents, et dans mon souvenir, Caniche était un homme très calme, un homme grand et maigre comme le Druide, et bizarrement, et contrairement à l'adage populaire, son chien était tout l'inverse de lui, il était énorme, le pelage dense et brillant, non fumeur, bien portant, et son chien s'appelait Brume, mais ce n'était qu'une parenthèse, et ma grand-mère a quitté la terre immédiatement après le dernier coup de sifflet de mon grand-père, je ne sais plus exactement quand, mais ils n'étaient pas très vieux, tout juste la soixantaine.

5

Depuis la mort de leur père, ma mère et l'oncle lui vouent quasiment un culte, et ils lui ont confectionné une sorte d'épouvantail funéraire censé le représenter, et la chose c'est un traversin vêtu d'une djellaba et d'une casquette de marin qui trône toujours dans l'atelier, et je soupçonne d'ailleurs l'oncle d'avoir initié le projet de l'effigie paternelle, car la fibre bricoleuse s'est transmise de père en fils, ainsi qu'un certain goût pour les farces et attrapes, et je ne suis pas sûre que l'oncle soit capable de changer une ampoule, mais je le sais porté sur les petites réparations et autres raccommodages, il rempaille par exemple régulièrement les fauteuils avec du papier journal ou quand sa vieille basket bâille, il la recolle à la super-glu.

Ma mère trouve que mon frère et moi nous communiquons dans un langage étrange, une sorte de sabir qui nous est propre et où elle croit reconnaître un chantonnement helvétique, celui qui précisément l'énervait chez les enfants suisses allemands, ces enfants qui sont d'après elle tellement différents des enfants français, moins polis, plus difficiles en ce qui concerne la nourriture, et comme eux, prétend-elle, nous avalons les mots, nous les mâchons la bouche ouverte, nous les raccourcissons disgracieusement, certaines syllabes restent collées à notre luette, et en plus de ça, nous parlons tellement vite qu'elle n'arrive pas à nous comprendre, et elle dit que nous parlons ensemble ainsi depuis toujours, et qu'elle aussi elle aurait bien aimé inventer une langue incompréhensible avec son frère, une langue secrète, mais ce ne fut jamais possible car son frère et elle, bien qu'ils parlèrent toujours la même langue, ne parlèrent jamais la même langue, quand ma mère lui demande de désherber devant la maison par exemple, l'oncle sort les poubelles, et quand elle lui demande de lui passer la moutarde, il file au supermarché, et ma mère comprend que l'oncle ne comprend que ce qui l'arrange, et puis il ne l'appelle jamais, il ne s'intéresse pas à sa vie, c'est sûrement à cause de la différence d'âge, se dit ma mère, oui c'est sûrement à cause de ça, de la différence d'âge, qu'elle n'a jamais vraiment réussi à comprendre son frère.

Mon frère et moi, nous avons les mêmes défauts, et le premier de ces défauts c'est que nous sommes eczémateux, c'est-à-dire que notre épiderme, censé nous protéger des agressions extérieures, nous démange constamment, et qu'il s'étiole et se dessèche comme un vieux cuir de crocodile, et qu'il crève et se ravine et se crevasse, car le ratissage de cette peau défectueuse est devenu avec le temps un geste aussi naturel et inconscient que celui de respirer, et certaines personnes disent que notre peau est trop fine pour ce monde, que nous y sommes allergiques, au monde, et ces personnes ont peut-être raison, je ne sais pas, ce que je sais c'est que nous partageons un autre défaut, moi et mon frère, et que ce deuxième défaut c'est que nous exerçons la même profession, et que cette profession consiste à traduire des notices d'aliments pour animaux : oreilles d'autruche pour chiens, tendons de cheval pour chats, bœuf à mâcher pour lapins, nerfs d'oie pour axolotls.

En trente ans de vie solitaire, l'oncle a eu le temps de développer certaines habitudes qui forment à présent le cœur de son existence, le cœur ou la structure peut-être, la solide armature autour de quoi s'agrègent l'accessoire, l'imprévu et tout le reste, et parmi ces habitudes, il en est qui revêtent une importance particulière et vitale, et ce sont tout naturellement celles qui ont trait à ce que l'oncle appelle son régime de célibataire, à son alimentation, donc, laquelle se compose en grande partie de sandwichs à l'andouille engloutis dans le secret de sa chambre.

L'oncle se prétend aussi dépositaire de l'immémoriale recette des calamars à l'armoricaine, recette qui consiste en anneaux d'encornets surgelés vaguement cuits dans deux litres de vin rouge bon marché avec, pour seul assaisonnement, une pincée de poivre, et je tiens à préciser que lesdits calamars sont un plat de fête, à destination des invités de marque, des nouveaux venus, car l'oncle aime faire la fête aux nouveaux venus, à ceux qui sont trop polis pour refuser ce qu'on leur offre de si bon cœur, et quand nous suggérons à l'oncle d'ajouter de l'ail, et d'y aller un peu moins fort avec le vin rouge, et de jeter un œil à la date de péremption des encornets, et aussi de prendre une douche, un peu plus souvent quand même, une vraie douche et pas une simple toilette de chat, non, un bon lavage de fond en comble, l'oncle dit tout simplement non, qu'il ne veut pas, qu'il suit la recette de son père.

En temps normal, quand il travaillait, l'oncle se lavait une fois par semaine, et au moindre changement de programme, en vacances par exemple, l'oncle ne se lavait plus du tout, alors en vacances, l'oncle se laissait pousser barbe et cheveux, et il ne se changeait plus, c'est-à-dire qu'il dormait dans les vêtements qu'il portait pour aller au supermarché ou pour tirer à l'arc, et il se réveillait à dix-neuf heures et à trois heures du matin, et il s'empiffrait de biscuits et de tranches d'andouille, et il sentait mauvais, on s'en doute, et il fumait, et il buvait de la bière, mais il ne buvait jamais d'alcools forts ainsi qu'il tient souvent à le préciser, et tout ça devant un bon film d'horreur, ou devant un bon livre policier, mais à quelques insignifiants détails près, c'était aussi son mode de vie en temps normal, quand, tous les dimanches à dix-sept heures, il faisait couler son bain, et tous les dimanches à dix-sept heures, l'oncle glissait son gros corps pâle, son corps à la fois flasque et raide, dans la minuscule baignoire, et j'imagine que l'opération devait être des plus délicates, et que c'était une bonne raison de la remettre aux dimanches.

Quand j'entends les bruits de barbotage annonciateurs, je ne peux m'empêcher d'imaginer l'oncle en gros baigneur, nu face au petit miroir taché de calcaire à l'aide duquel il se rase, et quand il sort du bain rasé de frais, parfumé, ses joues et son menton et parfois même le haut de son crâne sont striés de petites entailles, et il laisse derrière lui un épais nuage d'eau de Cologne frelatée, et après le passage de l'oncle dans la salle de bains, on retrouve souvent sur le sol ou sur le bord du lavabo un tampon de ouate bruni, et personne ne sait d'où provient la mystérieuse compresse, ni combien de temps, ni par quelle partie du corps de l'oncle elle a été compressée, en l'absence de preuves ou d'aveux, nous ne pouvons statuer fermement, mais nous avons notre théorie sur la question, et nous faisons des jeux de pouce, mon frère et moi, pour savoir qui va ramasser l'infâme cataplasme, le dégoûtant ectoplasme, et un jour c'est moi qui perds, un autre jour c'est mon frère, et il faut dire qu'à ce jeu nul ne gagne, mais depuis quelques semaines, c'est établi, nous ne mangerons plus de calamars.

Bien que notre mère nous ait, depuis notre plus jeune âge, préparé des compresses à l'ail qu'elle nous appliquait sur les paupières et dans le creux des bras, mon frère et moi nous nous grattons, et parfois nous nous regardons d'un air horrifié, surpris et désolés à la fois par les plaies et les cicatrices que nous nous infligeons, surpris et horrifiés et désolés par nos peaux croûteuses, rougies ou dépigmentées, résultat de nombreuses années de grattage compulsif, et au fond, et après bien des hypothèses, il apparaît qu'il nous est impossible de déterminer la cause de ce qu'il faut bien appeler notre maladie, et cette impossibilité dont nous sommes l'un comme l'autre convaincus ne nous empêche en rien de gamberger et de spéculer et d'accuser périodiquement les pollens et les acariens, la poussière, l'humidité, les poils de certains animaux et la salive de certaines personnes, et quand les conjectures s'épuisent, quand nous sommes en panne d'imagination, c'est sur l'impatience que nous nous rabattons, l'impatience de quoi ? nous rétorquera-t-on, et c'est là, me semble-t-il, que nous nous approchons de la véritable cause de notre mal, car il semblerait que cette impatience soit très précisément une impatience de rien, et nous sentons que ça vient de là, c'est-à-dire de rien, du vide au fond de nous, de la pulsion et de la sourde pulsation du vide au fond de nous, et c'est cela qui nous transforme en ces sortes de bêtes épouilleuses, en ces sacs à puces, en ces paquets de nerfs qu'aucun baume ne parvient à soulager, mais trêve de pleurnicheries, car il faut dire aussi que se gratter quand ça vous gratte, fût-ce tout le temps, où ça vous gratte, fût-ce partout, provoque une intense jouissance et une grande satisfaction, et on y passerait bien ses journées et ses semaines, à se réduire en sciure et en copeaux mutuellement à coups d'ongles et de râpe et de tout ce qui nous tomberait sous la main, sans penser aux conséquences, en pensant à rien d'ailleurs, à ce rien précisément, à ce rien qui nous lie, mon frère et moi, dans une commune agitation.

L'oncle, qui est de nature tranquille, sort parfois sa tête par la fenêtre tel un bernard-l'ermite jaillissant de sa coquille, et alors on pourrait croire qu'il souhaite contempler ce panorama que d'aucuns lui envieraient certainement, et croyant cela on se tromperait, car rien n'intéresse moins l'oncle que les beautés du paysage, les couchers de soleil, les mers démontées et les millions d'étoiles le laissent complètement indifférent, ce qui importe à l'oncle, c'est l'action, et sous ce rapport, il est plutôt mal loti, attendu qu'il doit se satisfaire de furtifs passages de hérissons, mais l'oncle, nous le disions, est de nature tranquille, et il se satisfait si bien du manège de la faune alentour qu'au moindre bruissement, il saisit ses jumelles, une paire de qualité supérieure prélevée sur son paquetage militaire, et il prend place à son mirador, et c'est alors qu'un lapin passe.

Il y a peu, la chambre de l'oncle nous était encore interdite, non pas que l'oncle nous ait un jour interdit l'accès de sa chambre, ce n'est pas vraiment son genre, non il s'agissait plutôt d'une règle silencieuse, d'un accord tacite, comme on dit, et il y a peu, quand l'oncle se levait encore le matin pour aller travailler, il fermait la porte de sa chambre à clé et il cachait la clé dans une des boîtes à bijoux de ma grand-mère, et nous connaissions tous l'emplacement de sa cachette mais cela n'avait aucune importance, personne n'aurait songé à s'introduire dans la tanière de l'oncle en son absence, car ainsi qu'il en va des vrais tabous, ceux dont dépend la survie de la tribu, l'idée de transgresser celui-ci ne nous effleurait même pas.

L'oncle de l'oncle, le Druide, vivait avec sa mère, Mémé, tout près de la maison de l'oncle, à trois ou quatre kilomètres seulement, et une fois mes grands-parents morts, le Druide et Mémé ne virent plus l'intérêt de rendre visite à l'oncle qui vivait terré dans sa chambre, une situation qui semblait convenir aux deux parties, lesquelles ne coupèrent pas les ponts pour autant : Mémé appelait régulièrement l'oncle pour lui annoncer que le Druide, son petit garçon, était mort au pied du lit, un jour il s'était étouffé dans son vomi, un autre c'était son cœur, son pauvre vieux cœur qui avait cessé de battre tout à coup.

Et quand Mémé appelait, l'oncle grimpait sur son engin, et on peut imaginer qu'il soupirait et qu'il pestait comme le font les vrais sauveteurs que l'on sollicite un peu trop fréquemment, qui ont toujours mieux à faire mais ne refusent jamais de venir en aide à leurs oncles morts au pied du lit, d'autant plus que selon l'oncle, Mémé l'appelait toujours au mauvais moment, alors qu'il était en train d'admirer un duel de mouettes ou un passage de hérisson sur le terrain voisin, mais l'oncle s'en allait quand même vérifier, et arrivé chez Mémé, il s'arrêtait devant la chambre de son oncle, une chambre au sous-sol, juste à côté de la chaufferie et des étagères remplies de boîtes de conserve et de nourriture pour chiens, et quand l'oncle arrivait au sous-sol, il interrogeait tout d'abord son pendule, car l'oncle ne sort jamais sans son pendule, et avant d'ouvrir la porte de la chambre du Druide, l'oncle faisait penduler son pendule pour savoir si le Druide était mort, et il prenait son temps pour interroger le pendule, et Mémé disait grouille-toi bon Dieu, il est mort de toute façon.

Mémé était de nature impatiente, et elle avait un petit chien qui était aussi de nature impatiente, et le chien grognait, et aboyait, et il se cognait contre la jambe de l'oncle, et ce chien, il faut le dire, n'a jamais selon moi ressemblé à un chien, il était aveugle et glabre et sa peau avait quelque chose d'écailleux, et cette bête m'évoquait plutôt une créature marine, une chimère venue des profondeurs de la Manche que Mémé aurait ramassée dans la baie après une grande marée, et puis

Mémé aurait prétendu que ce monstre luisant était un yorkshire, et bien sûr personne n'aurait osé la contredire, enfin bref, l'oncle ne se laissait pas troubler par la chose qui lui mordillait les mollets, il guettait le pendule, et le pendule disait non vers la gauche, et l'oncle pénétrait dans la chambre et soulevait le Druide qui avait roulé au pied de son lit, comme d'habitude après la Vieille Auberge, et il faut dire que ça lui arrivait souvent de rouler par terre, au Druide, depuis qu'il devait boire à la santé des morts.

Un jour, le pendule a donné vers la droite, et le Druide ce jour-là était vraiment mort au pied du lit, et l'oncle ne manque jamais de faire observer qu'il fallait s'y attendre, et ce jour-là l'oncle a ramassé son oncle, il l'a hissé sur son épaule comme un sac à patates, un sac à patates ne contenant qu'une ou deux patates car le Druide était tout léger semble-t-il, et l'étrange et vorace créature de Mémé lui avait déjà entamé la carcasse, dit l'oncle, et il paraît que Mémé était franchement soulagée, et qu'ensuite, à la maison de retraite, elle se vantait d'avoir survécu à ses deux fils.

6

Il y a une nouvelle de Kafka que j'aime beaucoup parce qu'elle me fait penser au supermarché du village, une nouvelle très courte, qui s'intitule *Le Souci du père de famille*, et où il est question d'une créature indéfinissable nommée Odradek, une créature que le narrateur compare à une sorte de bobine de fil plate et qui s'invite sans raison chez une bonne famille praguoise, et cette bonne famille praguoise tente désespérément de lui trouver une utilité, mais la créature, qui par ailleurs est douée de parole, persiste à faire mystère de sa fonction et de la raison de sa visite, et c'est une nouvelle que je trouve très belle car elle me rappelle le supermarché du village où les Odradek sont légion, notamment au rayon bonnes affaires, et comme dans la nouvelle de Kafka, on peut bien essayer de décrire ces choses du rayon bonnes affaires, on a beau les interroger, les tripoter, les renfiler, les examiner sous toutes les coutures, toujours demeure une part d'inconnu, un rouage, un sifflement, une chose mystérieuse contre laquelle on bute.

Ce qui est indéniable, c'est que ces objets sont si peu coûteux qu'on peut se permettre d'en acheter plusieurs, des centaines si l'on veut, au cas où, en réserve, et si on pense que personne n'achète ce genre de marchandises kafkaïennes, on se trompe : l'oncle, par exemple, est friand de ces Odradek du rayon bonnes affaires qu'il qualifie de géniaux, de formidables, d'extraordinaires, sans préciser si c'est leur fonction ou leur aspect qu'il admire, les deux sans aucun doute. Ci-dessous, à titre indicatif, une petite liste d'Odradek acquis plus ou moins récemment par l'oncle : la boîte à cure-dents en forme de moule qui fume une cigarette, le ramasse-miettes avec de minuscules roues de tracteur, le porte-téléphone portable en forme de crêpe humanoïde qui tend les bras, la tasse ornée d'une photo extrêmement floue de chats qui s'entre-lèchent, le paquet d'éponges émotives avec l'éponge heureuse, l'éponge rigolarde, l'éponge triste, l'éponge amoureuse, la minuterie en forme de coccinelle, et la minuterie en forme de lunettes Groucho Marx, le faux œuf transparent à faire bouillir dans la casserole avec les vrais œufs, et qui devient d'abord vert, puis bleu et enfin violet, ce qui est vaguement lié à la cuisson des vrais œufs, sans oublier la fameuse guillotine à saucisson dans son carton à l'effigie de Danton et Robespierre.

Au rayon des bonnes affaires, l'oncle se retrouve à chaque fois submergé par l'ampleur de l'offre, et il songe à l'anniversaire de son neveu qui s'intéresse à la Révolution française, et à celui de sa sœur l'amie des chats, et à sa nièce aussi, pour ne pas faire de jalouse, et l'oncle décide de se porter acquéreur d'un certain nombre de ces babioles, au cas où, en réserve, et après tout, pas besoin de raison pour faire des cadeaux.

L'oncle vit principalement dans sa chambre, dont le plafond mansardé est percé d'une grande fenêtre, et par cette grande fenêtre l'oncle a vue sur le jardin boursouflé de taupinières, sur les écuries et sur une partie de la baie, et au début du printemps, quand l'oncle commence à avoir chaud là-haut dans sa tanière, et quand les chevaux se mettent à brouter derrière la haie, l'oncle dégaine sa raquette électrifiée pour massacrer les mouches, car plus il y a de chevaux, plus il y a de mouches, et ces mouches sont des grosses mouches piqueuses qui se posent partout, sur les chevaux et sur les autres êtres vivants, elles se nourrissent, dit l'oncle, du sang des mammifères qu'elles parasitent et elles se multiplient au passage ; elles se multiplient, dit l'oncle, et il se munit d'une deuxième raquette et sans même quitter son lit, une raquette dans chaque main, l'oncle commet les premiers meurtres de mouches au début du printemps.

C'est à la mort de ses parents que l'oncle a développé cette manie de s'enfermer chez lui, soi-disant pour protéger la maison, une tâche de chien de garde qui, selon la légende familiale, lui aurait été confiée par son père agonisant : tu protégeras la maison, mon fils, lui aurait dit le peintre de femmes nues sur fond de plage alors en phase terminale d'une cirrhose, tu fermeras les volets, les rideaux, et tu vivras cloîtré dans ta chambre, mais parfois, quand même, tu tondras la pelouse, c'est très important de tondre la pelouse, il n'y a rien de plus beau qu'un gazon bien ras, et tu veilleras à ce que personne ne convoite mes vieux bibelots poussiéreux, parce qu'ils sont ton héritage, ton trésor.

Appliquant à la lettre les recommandations de son papa, l'oncle, lorsqu'il est seul, prête l'oreille aux grincements de plancher et aux souffles inhabituels qui pourraient témoigner d'une présence malveillante, et l'oncle possède une batte de baseball qu'il garde toujours à proximité de son lit, ainsi que d'autres armes de poing dont il n'a, bien évidemment, jamais eu à se servir, la plupart des claquements de portes inopinés, murmures, bruits de pas, étant, selon lui, attribuables à des fantômes, et l'oncle ne craint pas les fantômes, au contraire, il les adore, il les écoute, il les observe et il les salue au passage.

C'est vrai que la maison craque et grince, et par jour de grand vent, on croirait même entendre des voix sous les combles, et si je n'ai pas encore eu la chance de croiser le moindre fantôme ici, je n'écarte pas totalement la possibilité de tomber un soir nez à nez avec ma grand-mère en tenue de soirée, s'écrasant du rouge à lèvres sur les dents, le teint légèrement plus cireux que de son vivant, mais ce ne sont pas ces présences-là qui hantent l'oncle au sens strict du terme, l'oncle est habité par d'autres esprits qu'il invoque régulièrement, des esprits facétieux qu'il aime à imiter, à moins que ce ne soient eux qui le possèdent : pour imiter le Baron, l'oncle adopte une voix suraiguë, une voix dépourvue de cordes vocales, trachéotomisée, une voix miraculée, et pour imiter Caniche, l'oncle aspire ses joues et fait le gros dos, et pour Chouquette, l'oncle rampe carrément sur le carrelage de la salle à manger, et pour Jessy, le rebelle suicidé, l'oncle lance des trombes de postillons et des injures à l'assistance, et le clou du spectacle consiste en l'improbable imitation du Druide, un défi s'il en est que l'oncle relève avec la plus grande aisance, et c'est ainsi qu'il étire sa physionomie de nain de jardin aux dimensions d'un homme crochu, noueux comme un vieil arbre dans la tempête.

Parmi ces imitations, il en est une dont l'oncle est particulièrement fier, son grand œuvre, celle en tout cas qui lui a coûté le plus d'efforts, car pour singer son père qui souffrait d'une malformation hélas non congénitale, l'oncle a dû s'imposer des torsions contre-nature, pieds vers l'extérieur, talons l'un contre l'autre, la ballerine en première position, et après des années l'acharnement a fini par payer, car l'oncle ne peut désormais plus se défaire de cette démarche de canard qui le fait aller si lentement et qui lui valut, en guise de médaille, une paire de béquilles jaunes et une plaque de métal dans la hanche.

Les animaux ne savent pas lire, et mon frère et moi, nous sommes d'avis que le travail que nous exerçons est inutile, puisqu'il consiste à traduire des emballages et des descriptions de produits destinés à des animaux de tout poil, notices et descriptions que le consommateur, l'animal, ne pourra lire, et ainsi se verra-t-il imposer la consommation de certains produits par le véritable destinataire de nos traductions, son maître, lequel sélectionnera tout selon ses goûts, et selon son habitat, et selon la couleur de ses rideaux ou de son canapé, et peut-être avant tout selon la couleur de son animal de compagnie.

Le catalogue numérique de l'animalerie pour laquelle nous travaillons est un puits sans fond, une liste vertigineuse de produits qui se renouvelle chaque jour, un océan en perpétuelle expansion, et cette énormité vient du fait que l'animalerie prétend répondre à toutes les attentes, et que l'animalerie a pour objectif de ne laisser aucune préférence au hasard, ainsi vous trouverez votre bonheur si votre bonheur consiste à mâcher une saucisse en caoutchouc, ou si rien ne vous rend plus heureux que de courir après un pompon attaché à une canne à pêche, à moins que vous ne préfériez vous frotter à un poteau en sisal naturel en mangeant des croquettes semi-humides en forme de cœur dans une cabane en épicéa, et vous pourrez vous adonner à ces joies en toute sécurité grâce aux gilets réfléchissants et aux gilets de sauvetage disponibles en toutes les tailles, et il existe des bonnets en laine pour l'hiver, et il existe des chatières automatiques avec télécommande, et il existe des laisses à enrouler, et à dérouler, des laisses avec harnais fluorescents, et du shampoing anti-tiques et anti-poux, et des comprimés vitaminés et des compléments alimentaires pour une meilleure digestion, et il existe des sacs à crottes multicolores et des jouets aquatiques en plastique qu'on met au congélateur, et il existe des friandises à base d'asticots et de larves de moustiques rouges, et la nourriture humide au saumon est vraiment délicieuse, et mon frère et moi, nous travaillons ainsi huit heures par jour devant notre ordinateur, et cela s'apparente à une noyade quotidienne dans les profondeurs d'un aquarium.

Mon frère travaille pour l'animalerie depuis quatre ans, et moi j'y travaille depuis deux ans, et mon frère me met fréquemment en garde, et il me dit qu'il faut se méfier du catalogue, de l'attrait quasi magnétique qu'il finit par exercer sur l'employé, et il me dit de me méfier des friandises qui favorisent l'hygiène buccale, des balles en caoutchouc et des planches à griffer et des gouttes d'huile de chanvre apaisante, et mon frère me dit qu'il faut faire attention, car tous les vrais rongeurs, hamsters, lapins, gerbilles et rats, existent aussi sous forme d'adorables peluches très douces, et mon frère me dit qu'il faut veiller à ne surtout pas se laisser prendre dans la spirale infernale du catalogue, et il me dit que la frontière est mince, et que le pas est vite franchi, et lui-même, il y a deux ans, a profité de la réduction dont nous bénéficions en tant qu'employés pour acquérir un set de balles déstressantes qui l'accompagne depuis lors dans tous ses déplacements.

Il y a vingt-trois ans, l'oncle a commencé à travailler à l'abbaye, et il se souvient de la date exacte de sa prise de fonction en tant que jardinier-paysagiste, le huit août mille neuf cent quatre-vingt-dix-sept, un vendredi, étrangement, et l'oncle avait alors trente ans, et un jour dont la date exacte ne revient à personne, j'imagine que c'était également un vendredi, le bout d'une semaine un peu plus chargée que les autres, l'oncle a dû changer de poste, mais nul ne sait si cette reconversion forcée correspond à une promotion ou à une descente en grade, toujours est-il que l'oncle s'est retrouvé affecté à l'épluchage des légumes, légumier, dit-il sans avoir l'air de douter des conditions de sa nouvelle charge, et je serai bien en peine de dire si l'oncle se plaît dans ce rôle de légumier dont il paraît, comme à toute espèce de changement, s'accommoder, mais quoi qu'il en soit, et de l'avis des médecins, la position assise et l'économe lui conviennent mieux que la binette et les brusques inclinaisons vers les hortensias qui lui valurent sa première attaque, un certain vendredi d'été.

Ma mère nous demandait régulièrement comment calculer l'âge d'un chat, je veux dire, comment calculer l'âge d'un chat en âge humain, puisqu'il semble que l'âge félin, en lui-même, ne compte pas, et ma mère ne parvenait jamais à se rappeler ce genre de choses, et elle se demandait toujours s'il fallait ajouter deux ans tous les ans ou trois ans tous les quatre ans, et elle finissait par nous passer un coup de fil sous ce seul prétexte, arguant que nous étions bien placés pour lui rappeler ce genre de choses qu'elle oublie, et c'est vrai, après tout, nous sommes traducteurs, et cette opération ne relève-t-elle pas d'une sorte de traduction ?

Sur le site de l'animalerie, il est écrit qu'un chat atteint sa majorité humaine, dix-huit ans selon notre employeur, à l'âge de six mois, mais ne vaudrait-il pas mieux écrire « au bout de six mois d'existence », et on apprend qu'il faut attendre deux ans avant de voir votre chat atteindre l'âge d'un jeune homme, c'est-à-dire vingt-quatre ans selon notre employeur, et une fois passé ce funeste anniversaire, le chat déclinera à grande vitesse et on peut lui rajouter quatre ans chaque année, et nous en informions notre mère qui faisait mine de s'en souvenir brusquement, et à sa décharge je dois dire que ses interrogations étaient loin d'être infondées, car ma mère fut tout au long de sa vie propriétaire de plusieurs chats dont certains, selon mes estimations, dépassèrent l'âge (humain) de cent ans.

L'oncle a eu tous les âges et maintenant il a cinquante-deux ans, et il y a peu, l'oncle a perdu une incisive dont il prétend qu'elle branla quelque temps avant de tomber d'un coup, et ma mère ne trouve pas ça normal que son frère perde ses incisives comme ça du jour au lendemain, et à mon avis, c'était surtout inesthétique, car ainsi l'oncle avait l'air d'un gueux, d'une sorte de clochard du Moyen Âge, mais l'oncle se fiche de l'esthétique comme de sa première ou de sa dernière dent, tout ça, d'après lui, c'est une question d'habitude : aller au travail, peler des patates à longueur de journée, la plaque de fer dans la hanche, vivre seul, on s'y habitue.

La première fois que nous avons visité le potager de l'oncle, il n'y avait déjà plus de bonnes sœurs à l'abbaye, et c'était, semble-t-il, une conséquence de la progressive laïcisation de cet établissement qui tenait à la fois du sanatorium et de la salle des fêtes, et toutes les bonnes sœurs que ma mère avait connues et dont elle nous faisait un portrait semi-fantasmé suivant le cliché de la bonne sœur gouailleuse étaient soit décédées, soit dans l'antichambre de la mort, au mouroir de l'Immaculée-Conception, un couvent doté d'un service de soins palliatifs où étaient transférées les sœurs en fin de parcours, les sœurs malades ou trop vieilles, celles qui n'avaient plus la force d'accueillir les congrégations œcuméniques et les conférences sur la macrobiotique, ou de gérer les comptes, ou de tenir debout, et contrairement à ce que ma mère prétendait, l'oncle n'avait jamais eu grande affection pour les sœurs, il semblait même se méfier d'elles, de leur sourire mielleux et de leur teint de vieux cierge et de leur feinte gentillesse de vieilles vierges, mais tout cela n'était plus d'actualité puisque c'était Erwan qui avait pris la relève, et la première fois que nous avons visité le potager, l'oncle a tenu à nous présenter Erwan, et depuis longtemps l'oncle nous parlait d'Erwan, et Erwan se trouvait dans un coin du potager avec deux autres hommes qui, nous l'apprenions, s'appelaient également tous les deux Erwan, et nous avons pensé la même chose, ma mère, mon frère et moi, nous avons pensé que trois Erwan ce n'était pas banal tout de même, et nous les saluâmes comme s'ils étaient des bêtes curieuses, et eux s'abstinrent de toute présentation, car sans doute en avaient-ils assez de ce petit numéro.

Un des Erwan nous expliqua que sans l'oncle, les visiteurs ne mangeraient pas de légumes, et l'oncle a souri et on aurait cru qu'il se sentait flatté, et Erwan portait un short vert, et il avait les jambes griffées, sûrement à force de se battre avec les ronces, et l'autre Erwan s'occupait de la tonte et de tout le débroussaillement, c'est-à-dire de tout ce qui était tondeuse, ronces, lierres, et le deuxième Erwan, qui était de plus petite taille et portait une barbe rousse, se rongeait les ongles depuis notre arrivée, et il ne quittait pas son bac à haricots, et le troisième Erwan, le chef des jardiniers, nous raconta qu'il ne vivait pas loin de l'abbaye dans un petit mobil-home tout seul et qu'il voyageait trois fois par an au Népal pour son association, puis il nous raconta qu'il avait aussi un jardin, et que dans son jardin, il hébergeait un yack depuis peu, et l'autre Erwan interrompit Erwan pour préciser que si Erwan pouvait se permettre de s'occuper d'un yack, c'était parce qu'il n'avait pas de famille, et il a dit cela sur le ton d'une gentille blague qui ne visait à offenser personne, et les trois Erwan se sont mis à rigoler, et c'était un rire de connivence, comme on peut seulement en avoir avec de bons collègues de travail, et c'était joyeux de les voir rire tous ensemble, alors nous avons également ri, mon frère, ma mère et moi, et l'oncle ne riait pas vraiment, il n'avait pas suivi la conversation, car il tenait à montrer à ma mère les plants de courges dont il lui avait parlé auparavant, et il était impatient, et il attendait qu'on arrête de rire pour lui montrer les courges, et moi, j'aurais bien aimé en savoir davantage sur cette histoire de yack, mais ma mère voulait absolument qu'on lui dise combien de haricots contenait le bac à côté d'Erwan, et Erwan lui répondit très vite qu'il y avait une dizaine de kilos de haricots dans le bac, et il souleva le bac et il fit mine d'être épuisé parce que le bac était très lourd, et l'oncle a dit que là-bas au fond se trouvaient les plants de courges, et nous avons dit, allons-y, et Erwan avec son bac à haricots fut le seul à ne pas nous dire au revoir, parce qu'il était déconcentré, et parce qu'il gesticulait discrètement dans le vide, car il tentait depuis un bon bout de temps de chasser une mouche qui n'arrêtait pas de se coller à sa joue.

Nous nous sommes dirigés vers les plants de courges, et les plants avaient déjà des fleurs jaunes, et mon frère trouvait que les fleurs étaient très belles, et c'était donc avec ces trois hommes sympathiques que l'oncle passait ses journées à l'abbaye, me dis-je, et mon frère trouvait qu'ils avaient l'air de former une bonne équipe, Erwan, Erwan, Erwan et l'oncle, et eux aussi avaient l'air d'apprécier l'oncle, Erwan, Erwan, et Erwan, et les déjeuners à l'abbaye se terminaient toujours par les mots de ma mère qui disait : en tout cas, tu es entre de très bonnes mains ici, et l'oncle disait simplement oui, et il s'impatientait car il était déjà trois heures, et à trois heures l'oncle finissait sa journée de travail, et nous quittions l'abbaye en même temps que lui, nous en voiture, lui à scooter.

Mon frère, qui peinait avec ses leçons d'espagnol, eut un jour besoin d'aide pour commander un bouquet de fleurs, et le bouquet était une surprise pour sa petite amoureuse, une pensée lointaine, et je ne suis pas sûre d'avoir bien compris son calcul, mais il semblait que le nombre de fleurs dans le bouquet se référait à la date de leur rencontre, et mon frère voulait aussi connaître mon avis concernant les fleurs, leurs couleurs, leurs odeurs, car il croyait savoir que son amie préférait les fleurs discrètes, les fleurs des champs, comme moi, paraît-il, et il avait aussi besoin d'un coup de main pour formuler le gentil petit mot en espagnol, et heureusement alors pour mon frère que je n'avais pas de petite amoureuse, car ainsi je pouvais me consacrer à la sienne.

J'ai plusieurs fois demandé à l'oncle s'il avait déjà été amoureux, et à chaque fois, il me parlait d'une certaine Karine, une histoire qui remontait à la maternelle, et c'est à peu près tout ce que je sais à ce sujet, mais je sais en revanche que l'oncle fréquenta quelques fois les théâtres de Pigalle en compagnie de son ami Manu, et à ce sujet, j'ai souvenir d'anecdotes peu glorieuses impliquant des rabatteurs hargneux, des anecdotes dans lesquelles l'oncle ne réussissait jamais à en avoir pour son argent, mais au fond, je crois que cela lui importait peu de reluquer les danseuses, car c'était Manu l'entraîneuse, et je crois que l'oncle n'a jamais été sexuellement attiré par quelqu'un ou quelque chose, mais mon frère dit que bien sûr que oui, que ce n'est pas possible autrement, mais moi, je ne serais pas aussi catégorique, car après tout, l'oncle vit dans un harem, au milieu des odalisques nues sur fond de plage, parmi les tableaux de son père qui ne paraissent lui faire aucun effet.

Un jour, j'étais assise dans le salon et je lisais, et quand l'oncle est rentré du travail, il est allé dans la cuisine, et il a rangé ses achats dans le réfrigérateur, et il a dit qu'il avait fait chaud la journée, plus que d'habitude, et qu'ils annonçaient de la pluie pour demain, puis il s'est arrêté à mi-chemin dans l'escalier, et il a dit que c'était bizarre, Catherine, la légumière, elle lui parlait tout le temps, et je lui ai demandé si cette Catherine était une femme gentille et l'oncle a répondu que oui, une femme très gentille, et comme l'oncle restait planté au milieu de l'escalier, je lui ai demandé de m'en dire un peu plus, sur quoi l'oncle m'a confié que Catherine mesurait environ un mètre soixante-sept, comme moi paraît-il, mais en beaucoup plus grosse, et qu'elle avait les cheveux châtains, et un diamant dans le nez et qu'elle aimait beaucoup les romans policiers, puis je lui ai dit qu'à mon avis, cette Catherine était bien gentille et qu'elle avait sûrement essayé de le séduire en épluchant les légumes, et l'oncle semblait très satisfait de cette suggestion, comme s'il avait cherché à confirmer un pressentiment, et il n'avait pas besoin de parler plus longtemps, il est monté à l'étage, et je me suis rendue compte que c'était la première fois que je parlais d'amour avec l'oncle, et je crois me souvenir qu'en cet après-midi d'avril, je lisais *Mes amis,* d'Emmanuel Bove, un livre qui raconte la triste histoire de Victor Bâton, invalide de guerre qui ne souhaite rien tant que se faire un ami pour échapper à sa solitude, et je n'ai plus jamais entendu parler de Catherine, mais je conseille vivement la lecture de *Mes amis.*

7

À l'âge de vingt ans, ma mère a quitté la France pour aller vivre en Suisse, où nous sommes nés mon frère et moi, où nous avons grandi, dans une vieille maison à flanc de montagne, et c'est dans cette maison que notre père nous a offert deux lapins que nous gardions dans un clapier, et c'est dans cette maison qu'un jour d'été, suivant une odeur innommable, je suis tombée sur trois cadavres, et ma mère nous a longtemps assuré que les lapins avaient été dévorés par un renard, ce dont nous n'étions pas dupes, et je ne m'explique toujours pas pourquoi mon père a cru bon de sacrifier les lapins avant de s'occuper de son propre cas.

Ma mère n'aime pas tellement évoquer les lapins, elle préfère parler du sapin de son enfance qui est un minuscule sapin de Noël en plastique dépliable que nous sortons encore aujourd'hui pour les fêtes et, comme les vrais sapins, celui de ma mère se déplume, et il ne lui reste plus grand-chose de sa splendeur des années soixante-dix, et ma mère et l'oncle se refusent pourtant à jeter la chose qui perd ses aiguilles et se racornit d'année en année sous le poids des guirlandes. À Noël dernier, l'oncle a même acheté une nouvelle étoile pour remplacer l'étoile originale qui n'était plus qu'un fil de fer rouillé, et depuis toujours c'est l'oncle qui installe l'étoile au sommet du sapin, car installer l'étoile au sommet du sapin, c'est le devoir du cadet, paraît-il.

Quand ma mère a déménagé en Suisse, l'oncle avait quinze ans et il poursuivait son apprentissage d'horticulteur au château d'Arnouville, pas loin de Montmagny, et si j'en crois une vieille brochure trouvée parmi les papiers de l'oncle, cette institution fut d'abord un centre d'apprentissage horticole pour les blessés nerveux de la Première Guerre mondiale, et j'imagine bien que face à la raréfaction de cette clientèle pour le moins spécifique, l'école a dû diversifier son offre et, d'après l'oncle, il y avait de tout au château d'Arnouville : des repris de justice, des handicapés mentaux et physiques, des schizophrènes, que la brochure nomme « adolescents présentant des troubles comportementaux » et dont l'oncle, qui semble avoir obtenu son diplôme sans trop de difficulté, préfère parler comme de « sacrés zozos ».

Noël dernier, ma mère dormait mal, elle se réveillait en hurlant au beau milieu de la nuit, car il se trouve qu'un de ses deux chats était mort, et juste après la mort du chat, ma mère avait pris la route, douze heures de la Suisse à la Bretagne en sanglotant, et en plus de ça il faisait un froid terrible, et la nuit ma mère était hantée par des cauchemars, et la journée elle répétait constamment que la première chose à faire était de commander un certificat de conformité afin de pouvoir importer la voiture en France, la voiture avec laquelle elle avait conduit toutes ces bornes pour venir ici, il fallait bien en faire quelque chose de cette bagnole, disait-elle, et elle se remettait à pleurer, à chaudes larmes, et une fois c'était à cause du chat et l'autre fois, c'était parce qu'elle ne savait pas où commander le certificat de conformité, et ceci dit, plus ma mère se consacrait à la paperasse, mieux elle dormait.

Un soir, ma mère était allongée dans son lit dans l'atelier quand une odeur étrange lui monta au nez, une odeur qui, selon ma mère, émanait de la chambre de son frère, et alors elle nous fit part de son envie d'aller jeter un coup d'œil dans la chambre de l'oncle, et mon frère et moi nous étions surpris, car jamais nous n'aurions osé envisager qu'un jour nous allions entrer dans la chambre de l'oncle, chambre dans laquelle, petits, nous nous imaginions que l'oncle devait cacher un tas de choses extraordinaires, mais ma mère était convaincue qu'il y avait une mauvaise odeur à l'étage, une odeur qui n'était ni celle des poutres vermoulues ni celle des murs humides de l'atelier, et elle voulait absolument aller voir dans la chambre de son frère, et comme je connaissais très bien cette inquiétude depuis la mort de mes lapins, le lendemain matin nous avons attendu que l'oncle parte faire son tour habituel au supermarché, et pour être sûre d'avoir suffisamment de temps, ma mère lui a préparé une liste de courses un peu compliquée : de l'huile d'olive, des pommes de terre, du savon noir, du bicarbonate de soude, du dentifrice sans fluor, de quoi traînasser une bonne heure dans les rayons du supermarché.

Il y a une marche à l'entrée de la chambre de l'oncle, et ma mère a failli tomber car il y avait près de vingt ans qu'elle n'avait passé cette porte, et ma mère en relevant la tête s'est exclamée : quelle horreur ! et mon frère lui n'a rien dit, il avait les yeux qui brillaient, et ma mère a répété quelle horreur, et moi j'avais envie de faire demi-tour, et ma mère a encore dit quelle horreur, et je suis restée sur la marche dans le nuage de poussière qu'avait soulevé ma mère en trébuchant, et j'ai bien regardé les yeux de mon frère et la chambre de l'oncle.

Dans la pièce, sur le sol, il y avait un matelas en mousse troué, une cinquantaine de cabas du supermarché, et de papiers journaux, et de programmes de télévision, et de magazines de tir à l'arc, et de bouteilles de Coca-Cola, et de canettes de bière, et d'emballages de biscuits et de gâteaux au chocolat, et de jouets, de couteaux, de faux pistolets, de livres, de disques, et il y avait des fils de poussière noire qui pendaient aux murs et au plafond, et il y avait des toiles d'araignée, et les cendriers invisibles sous les montagnes de mégots se déversaient sur la table de nuit encroûtée à côté de laquelle se trouvait une paire de béquilles, et il n'y avait pas de draps sur le lit, et pas de sommier sous le lit, simplement ce matelas en mousse troué et souillé, et près de la poubelle en plastique ironiquement vide il y avait une dizaine de bouteilles de bière remplies d'urine, et ces bouteilles étaient alignées et le liquide moussait légèrement dans leurs goulots, et si nous nous doutions de ce que l'oncle était plutôt du genre crasseux, nous ne nous attendions pas à un tel dépotoir, et ma mère répétait encore quelle horreur, et quelle horreur et quelle horreur, et je sais que mon frère perd vite patience quand ma mère s'enraye ainsi, et c'est peut-être pour ça qu'il s'est mis à ramasser des choses, dont un os de poulet qu'il a enfourné dans sa poche faute de mieux ou parce que la colère montait, et moi j'observais la pièce et je détaillais les ordures et je respirais à fond cette odeur écœurante de tabac froid et de poussière et d'urine, l'odeur la plus écœurante qu'il m'ait été donné de respirer à fond je crois.

Ma mère, tremblante, s'est dirigée vers la fenêtre de toit et elle a fait de petits sauts pour essayer de l'ouvrir, et elle a sauté dans le vide assez longtemps, mais elle a fini par attraper la barre et elle a ouvert la fenêtre puis elle a regardé sa main et elle a dit quelle horreur car sa main était noire de crasse, et je m'attendais à rencontrer des souris mortes et des cafards dans l'armoire, entre les slips de l'oncle dont certains, vu la taille, dataient de l'époque où il avait cinq ans, et je m'attendais à trouver de nombreuses araignées qui auraient profité de cette zone désertée par les aspirateurs pour construire la plus grande toile de l'histoire des araignées, mais selon mon frère, aucun organisme n'aurait pu survivre dans cette chambre, aucun, sauf l'oncle.

L'oncle, cette année-là, n'a pas installé le sapin comme d'habitude, car après cette petite visite dans sa chambre, personne n'était plus d'humeur à sortir le sapin, et mon frère le soir de Noël a juste préparé des spaghettis, et à table l'oncle qui n'avait pas dit un mot depuis le début du repas était hagard et pâle, et c'était d'autant plus étrange parce que l'oncle adore les spaghettis, mais cette fois-ci, il respirait lourdement devant son plat, et il semblait s'être enfoncé dans un profond vide et il aspirait difficilement les longues pâtes, et pendant un bon moment, ma mère, mon frère et moi, nous avons lorgné les mains de l'oncle, car ses mains étaient gonflées et bleues, et nous nous sommes lancés des regards interrogateurs jusqu'à ce que ma mère brise le silence et qu'elle dise : tu sais qu'on a été dans ta chambre, et tu sais que ce n'est pas normal, et tu sais que tu n'es pas un cochon quand même, et tu sais que j'ai honte, et que c'est tellement crade, et regarde donc tes mains comme elles sont gonflées et bleues, et est-ce que tu trouves ça normal toi, a-t-elle demandé à l'oncle, mais l'oncle n'a pas réagi, même s'il avait certainement entendu ce que lui disait sa sœur, et je me demande s'il s'est senti trahi ou honteux, en cette veille de Noël, et s'il nous a détestés sans avoir le souffle nécessaire pour nous crier dessus, ni assez de force pour mettre une flèche dans son arc et nous abattre tous les trois sur-le-champ.

Face au mutisme de l'oncle, ma mère ne put se retenir de pleurer, et elle essaya de changer de sujet, et elle se mit à parler du certificat de conformité que nous devions commander au plus vite et de la terrine de sanglier qu'elle avait mangée chez nos voisins, monsieur et madame Charrieau, puis, face au mutisme de tout le monde, ma mère s'est énervée et elle a tapé des poings sur la table et elle a dit qu'avec mon frère et moi, elle ne pouvait même pas parler de viande, car nous ne mangions pas de viande, et mon frère et moi, nous ne réagissions pas, nos yeux étaient rivés sur l'oncle qui se leva pour se précipiter aux toilettes, et en général, ma mère détestait quand son frère quittait la table en plein milieu du repas pour aller aux toilettes, et elle s'exclama : il ne peut pas se retenir ou bien quoi, et elle soupirait, et elle roulait des yeux, et ses yeux brillaient et roulaient en même temps, mais ce qu'elle ne comprenait pas, c'était que si son frère n'allait pas aux toilettes immédiatement, il allait se faire dessus, comme une grosse averse, comme une tempête de pluie que personne n'avait prévue.

Le lendemain, ma mère a fait sa valise pour rentrer en Suisse, où le travail l'attendait et où le deuxième chat l'attendait aussi, le chat qui était encore en vie, pas l'autre, mais celui-ci souffrait de la même maladie, une maladie de la thyroïde, et il ne mangeait pas, et pour qu'il reprenne du poids et survive, ma mère devait lui mettre une crème à base d'iode radioactif dans les oreilles, et comme la crème était très toxique pour les êtres humains, ma mère devait porter des gants à chaque fois qu'elle la lui appliquait, et c'était la toute première chose qu'elle faisait en rentrant du travail, avant même d'enlever ses chaussures, elle allait chercher le chat pour lui crémer les oreilles, et quand le chat n'était pas là, ma mère s'inquiétait, parce que c'était un chat qui avait peur des éclairs, et il avait peur de la pluie et des tondeuses à gazon, et parce que c'était un chat difficile à attraper, et ma mère, munie de la crème radioactive, attendait des heures dans le jardin que le chat daigne pointer le bout de ses oreilles.

Avant son départ, ma mère semblait nerveuse, elle est montée à l'étage pour dire au revoir à son frère, mais l'oncle dormait encore, et ma mère ne voulait pas le réveiller seulement pour lui dire au revoir, et elle tournait sur elle-même, elle s'éclaircissait sans cesse la gorge, et elle espérait avoir un train malgré la grève, car à l'époque il y avait une grande grève, et ma mère n'avait plus l'habitude des grèves, en Suisse il n'y a jamais de grèves, et juste avant de sortir de la maison, elle pensa même avoir égaré son billet de train, alors il y eut un moment d'agitation et mon frère et moi nous nous sommes mis à la recherche du billet de train dans le salon, mais le billet était dans sa trousse à documents, là où ma mère range tous ses documents, et en l'écoutant parler et s'agiter ainsi, on aurait dit qu'elle avait une peur terrible de sa valise et de sa trousse à documents et de son billet et de la grève, et ma mère a mimé un visage triste d'une manière théâtrale, en abaissant les commissures, et elle nous a expliqué son point de vue : vous savez, nous a-t-elle dit, moi, si je suis partie à vingt ans ce n'est pas pour revenir trente-cinq ans après et pour vivre avec mon frère et lui changer les couches, et elle nous a demandé si nous pouvions la comprendre, et elle m'a regardée, puis elle m'a dit que moi non plus je n'aimerais probablement pas changer les couches de mon frère, et mon frère a ri et il a dit que nous la comprenions, et je n'ai pas répondu à sa question car mon frère avait dit que nous la comprenions.

8

Le médecin du village a immédiatement pris la tension de l'oncle avec le brassard gonflable, et je sais que l'oncle n'aime pas du tout qu'on le touche, mais l'oncle ne disait rien, et avec un stéthoscope le docteur a écouté le cœur de l'oncle, et il a regardé ses mains et ses chevilles qui étaient boursouflées et bleues elles aussi, ce que nous n'avions pas pu voir avant car l'oncle ne se promène jamais pieds nus, et il rentre toujours le bas de son pantalon dans ses chaussettes car les pantalons sont toujours trop longs pour ses jambes courtes et asymétriques, et le médecin a retroussé le pantalon, et il a appuyé avec son index sur les pieds de l'oncle, et il a fini par dire, sur un ton monotone qui contrastait avec la nouvelle, que c'était une urgence absolue, et c'était je crois la première fois que j'apercevais cette paire de pieds plats aux ongles longs et crasseux, et selon le médecin, l'oncle avait beaucoup trop de tension, mais l'oncle disait que c'était normal, car il n'aimait pas les docteurs, ni les dentistes, et qu'il avait toujours beaucoup trop de tension lors de ce genre de rendez-vous, mais le médecin nous a fait comprendre qu'il ne fallait pas l'écouter, et que nous devions nous dépêcher, car notre oncle était en danger de mort, et mon frère et moi nous avons demandé au médecin où est-ce que nous devions aller, et le médecin nous a redirigés vers un spécialiste des oncles.

Le spécialiste des oncles exerçait dans un hôpital que je ne connaissais pas, l'oncle en revanche le connaissait pour y avoir emmené le Druide, et il a tout de suite reconnu le parking sur la butte, et il s'exprimait avec une voix très aiguë, une voix de heavy metal qui, chez l'oncle, était la voix de la peur, et cet hôpital n'inspirait pas confiance, selon monsieur et madame Charrieau, l'établissement aurait dû être fermé depuis longtemps à cause du matériel vétuste et du manque de personnel et de certains médecins qui auraient dû être traînés en justice, mais nous n'avions pas le choix et nous avons garé la voiture tout près de la porte tournante à l'entrée de l'hôpital et nous avons observé un instant le bloc de béton grisâtre dont, malgré les rumeurs, sortait tout un tas de monde.

Et certaines des personnes qui sortaient de l'hôpital tenaient des chats et des chiens en laisse, et d'autres serraient des cochons d'Inde et des furets contre leur poitrine, et les cochons d'Inde couinaient nerveusement comme s'ils venaient de passer un sale quart d'heure, et d'autres personnes encore sortaient avec des perruches en cage et une femme en fauteuil roulant portait un perroquet sur son bras droit, et nous observâmes silencieusement cette faune pendant dix bonnes minutes avant que mon frère ne se décide à demander si nous étions sûrs d'être au bon endroit, et l'oncle a dit que oui oui, qu'il connaissait bien l'hôpital, qu'il y avait emmené trois ou quatre fois son oncle le Druide avant sa mort au pied du lit, mais la réponse de l'oncle fut étouffée par un mugissement, et quand je dis mugissement je pense par exemple au cri d'une vache qu'on mène à l'abattoir, et mon frère et moi nous avions du mal à croire à la scène à laquelle nous assistions, et il faut dire que ce n'est pas tous les jours qu'on voit un énorme bovidé à poil long sortir d'un hôpital breton, et l'oncle a dit sans s'émouvoir que c'était un yack, et nous nous sommes rappelé l'histoire du yack d'Erwan et nous avons demandé à l'oncle si cette grosse bête là-bas c'était le yack d'Erwan, mais l'oncle a dit que non non, que lui c'était un jeune yack, que ça se voyait à son poil et qu'il mesurait à peine deux mètres de long, et nous étions tellement surpris par la réponse experte de l'oncle que nous n'avons rien ajouté, et le jeune propriétaire du yack tira un bon coup sur le licol pour extraire l'animal qui coinçait la porte-tambour, et l'oncle a été pris d'une quinte de toux dans la voiture, et toussant il a craché sur son pull, des crachats jaunes et vaguement sanguinolents je crois, et j'ai dit à mon frère, allons-y, et nous sommes descendus de la voiture et nous nous sommes arrêtés devant la porte tournante, et la grosse masse poilue et musculeuse du yack s'est dépêtrée d'un coup, laissant la voie libre à d'autres patients, et les autres patients se sont déversés sous le porche de l'hôpital, des patients en mauvais état, des patients en mauvaise forme à qui il manquait un morceau de tête, de bras ou de poumon, des patients avec des béquilles et d'autres avec des bandages, des patients au teint gris de fumeur sous latitude pluvieuse, des patients comme l'oncle.

Dans la salle d'attente régnait cette odeur typique d'hôpital mélangée à une odeur de pâté pour chat et de suint, et peut-être aussi de bouse de vache, et nous étions installés sur des sièges face à l'accueil où un jeune homme donnait des indications aux patients, et sur les murs de la salle d'attente, il y avait des affiches de nourriture, de tension artérielle, d'injections, de suppositoires et de Sécurité sociale, et mon frère regardait attentivement les affiches de la salle d'attente, les fréquences cardiaques et les campagnes sanitaires qui conseillaient de manger de la viande tous les jours, trois fois par jour, le plus souvent possible pour rester en bonne santé, et mon frère s'énervait et se grattait la tête, pas étonnant, dit-il, si c'est ce qu'ils exposent dans les salles d'attente, et l'oncle fixait la réception comme s'il pouvait contrôler les mouvements du jeune homme avec ses yeux, ou comme s'il était assis dans une salle de cinéma et attendait que le film commence, mais peut-être attendait-il simplement que quelque chose se passe, qu'on le renvoie à la maison, qu'on lui annonce une bonne nouvelle, et mes paupières me démangeaient de fatigue et d'allergie aux poils de mammifères, de tous les mammifères, et au bout d'une trentaine de minutes, le jeune homme nous appela, et mon frère se leva le premier, et il dit à l'oncle de se lever aussi, et nous avons suivi le jeune homme dans une petite pièce où il nous a fait signe de prendre place sur deux chaises, et quand le docteur est arrivé, il a constaté que nous étions trois, et il s'est excusé et il est allé chercher un tabouret, et mon frère a pris le tabouret et moi une des deux chaises et nous nous sommes assis un peu à l'écart, moi et mon frère, de sorte que le docteur puisse bien ausculter l'oncle.

Le docteur voulait savoir qui nous étions, par rapport à l'oncle je veux dire, et l'oncle nous a désignés du doigt en disant : elle c'est ma nièce et lui c'est mon neveu, et le docteur a plissé les yeux comme quelqu'un qui contemple un menhir dans la brume, et il a écouté le cœur de l'oncle et il a tout de suite commencé à nous interroger tout en poursuivant l'auscultation, c'est-à-dire en lui tâtant les chevilles, et le cou, à peu près avec la même fermeté que le médecin du village, et il nous a demandé : il a quel âge, il vit seul, il boit, il mange beaucoup, de la viande aussi, les selles, exercice physique, sommeil, combien d'heures par jour est-il allongé, comportement social, réactivité, obéissance, thyroïde, hygiène buccale, calcium, potassium, magnésium, zinc, et mon frère et moi, nous avons essayé de répondre à la plupart des questions comme s'il s'agissait d'un jeu de vitesse, et quand nous ne connaissions pas la réponse nous haussions les épaules, et nous ignorions beaucoup de choses de la vie de l'oncle, et chaque fois que nous n'avions pas la réponse, l'oncle levait la main et tentait d'expliquer en suffoquant qu'il souffrait d'un petit rhume, tout à fait normal en cette saison de grippe, pas de quoi s'inquiéter.

Puis le docteur nous informa que l'oncle avait de l'eau dans les poumons et le sang intoxiqué, et que rien ne fonctionnait plus dans le corps de l'oncle, ni les reins, ni le foie, ni le cœur, et le docteur nous expliqua que l'oncle non seulement avait un rhume mais qu'il avait aussi fait une embolie pulmonaire, et selon le docteur, il fallait garder l'oncle à l'hôpital si on voulait qu'il reste en vie, et j'ai pensé à ce livre d'anatomie que nous avions étudié au lycée et que je feuilletais encore parfois le soir, parce que dans ce livre ils étaient si joliment représentés, le foie et la rate et les intestins, si gais avec leurs couleurs de magnolias et d'hortensias, et je pensais à ces jolis boyaux et j'imaginais qu'à l'intérieur de l'oncle tout devait être bien différent, sombre, marécageux sûrement, et qu'au milieu d'un paysage gris et craquelé, une rivière coulait entre ses poumons charbonneux, et qu'à certains endroits ça brûlait, ça palpitait, là où le sang ne pouvait plus circuler correctement, là où les artères étaient bouchées comme par des barrages de bois mort.

L'oncle fut placé sur un brancard et le docteur appela une infirmière pour le monter jusqu'au quatrième étage, en service pneumologie, et l'oncle allongé sur le brancard regardait le plafond, et il avait les mains jointes sur son gros ventre comme un petit garçon ou comme un cadavre apprêté pour la morgue, et de sa boule de mains serrées pendait le cordon en cuir de son pendule, et le pendule était la seule chose que l'oncle avait emportée, et je ne sais si c'était parce qu'il pensait que grâce au pendule, il pourrait rentrer chez lui ce soir-là, ou alors parce que le pendule était au fond la seule chose indispensable à ses yeux ; nous observions l'oncle sur le brancard et nous n'arrivions pas vraiment à croire qu'il risquait de mourir ce soir-là, car il bougeait ses vieilles baskets trouées sur le brancard, et il levait la tête pour voir par-dessus son ventre, et pour s'assurer que nous le suivions, et l'infirmière qui poussait le brancard s'arrêta en plein milieu d'un couloir et elle bloqua le brancard avec ses pieds, et elle nous demanda de patienter, et nous nous sommes approchés de l'oncle et j'ai regardé l'oncle qui n'agissait pas tout à fait comme un mourant, et il a dit c'est le bordel ici, et il riait, et il y avait des bruits dans le couloir, des cris et des gémissements, et on voyait bien que l'oncle avait peur, et mon frère s'est approché de lui et il a dit : n'aie pas peur, et l'oncle a dit non non ça va, et nous savions qu'il mentait, et quand l'infirmière est revenue pour nous signaler qu'ils avaient trouvé une chambre, nous avons serré l'oncle dans nos bras, et nous lui avons promis de revenir le lendemain, et nous avons quitté l'hôpital, et la nuit était profonde et noire et il pleuvait, il n'y avait plus personne sur le parking, et dans la voiture, sur le chemin du retour, nous nous sommes dit que c'était la première fois que nous allions dormir dans la maison sans l'oncle.

Le lendemain, mon frère et moi, nous avons décidé de profiter de l'absence de l'oncle pour ranger sa chambre, et face à l'ampleur du chantier nous avons d'abord songé à tout jeter par la fenêtre, puis à tout rassembler dans le jardin puis à tout brûler dans un grand feu, mais nous nous sommes vite ravisés, conscients de ce que cela reviendrait à réduire la vie de l'oncle en cendres, et alors mon frère et moi nous sommes allés dans le magasin de bricolage juste à côté du supermarché, et nous avons acheté des gants et des masques et des combinaisons blanches qui ressemblaient à des combinaisons de liquidateurs de centrale nucléaire, et nous sommes retournés à la maison et nous avons appelé l'oncle à l'hôpital pour savoir comment s'était passée sa première nuit et aussi pour lui demander l'autorisation de ranger sa chambre, et l'oncle nous a raconté que les infirmières l'avaient vidé de son jus, huit litres en une nuit paraît-il, et l'oncle était d'accord pour la chambre, à condition de ne rien jeter par la fenêtre.

Au fond de l'armoire de l'oncle, mon frère a découvert une mallette en cuir, la mallette était recouverte d'une bonne couche de poussière, et dans la mallette en cuir se trouvaient rassemblés des relevés bancaires des trente dernières années, et des diplômes de son école d'horticulture, et des rapports de psychologues et de médecins, et des bulletins scolaires faisant chaque fois état des mêmes choses : hygiène médiocre et capacité de travail en équipe plutôt faible, et dans la mallette se trouvait aussi le résultat d'une mammographie que l'oncle avait dû subir quand il était petit, et nous avons trouvé ça étrange et fascinant et, le temps de réaliser qu'il s'agissait seulement d'un petit excédent d'œstrogènes, nous nous sommes imaginé que notre oncle était peut-être une femme à sa naissance, puis nous avons refermé la mallette, et nous avons vidé tous les meubles et trié les affaires de l'oncle : les livres, les disques, les jouets, et nous en avons fait des tas, sans trop nous y intéresser, et nous avons sorti tous les meubles dans l'atelier, et nous avons astiqué le sol avec du savon noir, et à chaque coup d'éponge la couleur orange d'origine du linoléum réapparaissait, et ce fut presque plaisant de nettoyer quelque chose d'aussi sale, et mon frère a eu le droit à une moitié du sol, et moi à l'autre moitié, et nous avons dû nous munir de couteaux pour racler la crasse accumulée pendant trente ans à certains endroits de la chambre, puis nous avons replacé tous les meubles, et l'opération nous a pris environ huit heures, et nos combinaisons de liquidateurs étaient trouées et chiffonnées, et à la fin de cette journée, nous n'avions plus le courage d'aller à l'hôpital pour rendre visite à l'oncle.

Le soir, mon frère a posé son ordinateur sur la table de la cuisine entre deux assiettes de pâtes et il a sélectionné au hasard un documentaire de voyage, et il se trouve que c'était un documentaire sur la Suisse, et la Suisse nous la connaissons bien pour y être nés et y avoir passé la plus grande partie de notre existence, et peut-être n'étions-nous pas d'humeur à l'exotisme ce jour-là et peut-être même que cela ne nous déplaisait pas de rêver un peu à la Suisse, à moins que nous ne fussions trop épuisés pour changer de programme, toujours est-il que nous avons regardé le documentaire sur la Suisse, et le documentaire sur la Suisse commençait dans les montagnes valaisannes que le commentateur qualifiait pompeusement de Népal européen, et on suivait un groupe de randonneurs valaisans équipés des meilleurs vêtements techniques et de chaussures de marche de haute qualité, des chaussures de marche qui n'ont rien à voir avec les chaussures de marche que le commun des mortels achète et porte, non, les Suisses portent des chaussures qui s'agrippent à la montagne et qui sont de véritables chefs-d'œuvre d'ingénierie podologique, et c'est entre autres grâce à ces chaussures de qualité aérospatiale que les Suisses peuvent marcher des jours sur d'étroits chemins de montagne bordant d'insondables précipices, et mon frère et moi nous avons commencé à nous gratter, et la caméra s'est envolée du Valais et a surplombé de magnifiques lacs d'eau suisse, c'est-à-dire pure et cristalline, et la caméra a brusquement zoomé sur une vache qui broutait dans un pré, et c'était une vache du canton de Uri et les vaches du canton de Uri, selon un berger qui portait le prénom de Ueli, étaient les plus belles vaches du monde, et Ueli nous a montré sa collection de lapins, et mon frère se grattait le cou et moi je me raclais minutieusement les paupières, et nos ongles s'enfonçaient profondément dans nos épidermes, et les lapins de Ueli étaient très gros, et Ueli avait plusieurs fois remporté le concours fédéral du lapin le plus gros, et la femme de Ueli est arrivée pour parler de son fromage à pâte dure, mais nous nous grattions si fort que nous n'avons pas vraiment compris le processus de coagulation du lait, et la caméra qui était un drone de l'armée suisse s'envola du modeste logis montagnard de Ueli et Sabine, et Sabine disait au revoir avec une main et avec l'autre elle coupait un fromage à pâte dure, et Ueli agitait sa main gauche et de la main droite il tenait un énorme lapin par la peau du cou, et de fines pellicules de peau morte tombaient comme de la neige sur la toile cirée de la table de la cuisine et se confondaient avec le parmesan sur les plâtrées de pâtes auxquelles nous n'avions pas touché, et nous nous grattions de plus en plus nerveusement, et nous avions je crois tous deux cessé d'imputer la faute à la poussière amassée pendant la journée de rangement, et c'était la Suisse qui nous grattait jusqu'au sang, et comme hypnotisés nous ne pouvions nous résoudre à la quitter des yeux, et vinrent alors les palmarès et les statistiques suisses, et les palmarès et les statistiques suisses étaient triomphaux, et la Suisse renfermait en son petit sein confortable et laiteux les meilleurs dentistes et les meilleurs ingénieurs et les meilleurs pilotes et les meilleurs physiciens et les meilleurs chirurgiens esthétiques et les meilleurs skieurs, et la Suisse avait connu le pourcentage le plus faible de phlegmons dentaires en 2014, le plus faible du monde entier s'entend, et les rangées de dents blanches et impeccablement détartrées d'une famille suisse apparurent à l'écran pour illustrer cette information et pour montrer leurs gencives non enflammées, mère, père, fille, fils, huit rangées de dents impeccablement blanches, nichées dans des gencives serrées et rose clair, et la famille paraissait heureuse d'avoir de belles dents propres, comment ne pas l'être me dira-t-on, et on eut droit à un rapide panorama des plus grandes petites villes suisses, et ensuite la caméra volante rasa de près la plaine au-dessus du lac des Quatre-Cantons, où le serment du Grütli est célébré chaque 1er août, et les câbles métalliques du funiculaire Schwyz-Stoos, et les nuages qui entourent la pointe du mont Cervin, et la brume qui serpente à travers les montagnes, ces grosses montagnes, ces énormes massifs vertigineux sur lesquels dansent des femmes en habits traditionnels, des femmes qui dans certains cantons de Suisse ont obtenu le droit de vote en 1990, et les Suisses étaient heureux et ils brandissaient leurs croix blanches sur fond rouge jusque dans leurs jardins bien entretenus, sur quoi apparurent trois garçonnets acnéiques en uniforme, et les petits militaires se disaient fiers de servir leur belle croix blanche sur fond rouge, et les petits militaires disaient aussi que chaque petit Suisse aurait droit à son petit bunker en cas de catastrophe, en cas d'invasion alsacienne par exemple, ou bourguignonne, ou au moindre petit raz-de-marée sur le lac Léman, et mon frère et moi nous étions passés à l'intérieur des genoux, une zone particulièrement tendre et qui se déchire facilement, et c'était presque la fin du documentaire, et la caméra vola telle une grosse mouche autour d'un curieux édifice marronnasse, et il s'avéra que la chose était une fontaine à chocolat suisse, une fontaine géante, et c'était l'inauguration de la fontaine géante de chocolat suisse, en présence des plus grands chefs d'entreprise suisses, et des plus grands chanteurs suisses et des plus grands tennismen suisses, et les tennismen plongeaient leurs raquettes dans le chocolat, et les chefs d'entreprise y trempaient leurs doigts, et mon frère et moi nous nous sarclions littéralement le cuir en regardant ces belles et ruisselantes images suisses, et les convives ressemblaient tous à Ueli et à Sabine comme si la Suisse ne comptait que deux habitants qu'elle avait clonés en quelque huit millions d'exemplaires, et la caméra a zoomé sur le visage souriant et rose de Ueli, et c'était le générique de fin, et sans hésiter une seconde, mon frère ferma l'ordinateur portable.

9

Nous allions rendre visite à l'oncle tous les jours, et à chaque fois nous trouvions l'oncle assis sur son lit car les médecins lui avaient interdit de rester allongé trop longtemps, et assis sur son lit l'oncle regardait la télévision suspendue au plafond; il était heureux que mon frère ait pensé à lui acheter un abonnement de télévision au kiosque de l'hôpital, car ainsi il se sentait presque comme à la maison, et son ventre dépassait de sa chemise d'hôpital turquoise, et il arrivait qu'une infirmière accoure et le sermonne : voyons monsieur, reboutonnez votre chemise, vous avez de la visite, et ça faisait rire l'oncle, et il expliquait à l'infirmière qu'on était ses neveux et que son gros ventre ne nous dérangerait pas, et nous disions que non, cela ne nous dérangeait vraiment pas, et l'infirmière attendait notre confirmation, comme si les paroles de l'oncle ne comptaient pas, et l'infirmière secoua la tête, vous en êtes sûrs, répéta-t-elle, comme si elle se méfiait de nous tous, et dès que l'infirmière avait quitté la chambre, l'oncle nous faisait part de ses envies profondes, de jus de pomme et de biscuits au chocolat, d'accord, la prochaine fois on t'en apporte, disions-nous, et nous restions chaque fois une petite heure, et les visites devinrent une routine, et l'oncle reprenait des couleurs, et une fois, sur le chemin du retour, dans la voiture, mon frère a dit qu'il n'y avait pas de quoi en faire un roman, maintenant que nous savions que l'oncle n'allait même pas mourir ; car on n'écrit pas un roman avec de vagues souvenirs et des histoires d'hôpitaux, avec la mort d'un lapin ou avec des anecdotes à propos d'une auberge délabrée, avec un oncle même pas mort, prétendait mon frère.

L'un des Erwan de l'abbaye nous a téléphoné un soir pour nous dire que nous avions sauvé la vie de l'oncle, et nous ne savions pas de quel Erwan il s'agissait, et Erwan nous a dit qu'il avait lui-même été très inquiet lorsqu'il avait remarqué que l'oncle respirait mal et lentement, et qu'il s'épuisait en épluchant les carottes et en équeutant les haricots verts, et Erwan nous a dit que l'abbaye n'avait ni notre numéro de téléphone, ni celui de notre mère en Suisse, et qu'il n'avait par conséquent jamais pu nous alerter, et Erwan nous a même dit qu'un jour il avait suggéré à l'oncle d'aller voir un médecin, proposition que l'oncle avait déclinée avec une véhémence si inhabituelle chez lui qu'Erwan n'avait plus osé l'embêter, et il nous a confié que, depuis peu, l'oncle mettait bien quinze minutes à laver une salade, et que plus personne ne voulait travailler avec lui, feignasse et épuisé comme il était, et c'est à peu près tout ce qu'Erwan nous a raconté ce soir-là, et depuis, Erwan appelle régulièrement pour prendre des nouvelles de l'oncle.

Mon frère prenait des cours d'espagnol en ligne tous les matins, et les après-midi il se consacrait à ses fruitiers : il les savonnait tous les jours pour éloigner les pucerons, et il remplissait un bol à céréales de sa mixture à base de savon noir, et il trempait son index dans le bol et avec son index il caressait chaque feuille, et mon frère essuyait son doigt sur un mouchoir, puis il courait dans la maison pour me montrer son mouchoir, et il disait que c'était comme ça qu'on fabriquait les couleurs pour dessiner, et son mouchoir était tout vert et c'était un joli vert en effet, et mon frère, un jour, a décapité les hortensias, et ce jour-là il y avait des têtes d'hortensias desséchées qui volaient à travers le jardin et jusque sur la route, et à voir toutes ces têtes d'hortensias, mon frère a eu envie de planter des rosiers, car les fleurs, disait-il, le rendent heureux, c'est tout bête, mais ce n'était pas si bête, et je comprenais ce que mon frère voulait dire par là, et mon frère disait aussi, avec une nuance d'anxiété dans la voix, qu'il espérait que sa petite amoureuse allait apprécier le bouquet qu'il lui avait envoyé, et il espérait revoir sa petite amoureuse bientôt, et il se prenait à rêver en regardant les cadavres d'hortensias, et il se disait que s'il progressait en espagnol, il pourrait un jour s'installer avec sa petite amoureuse, mais il ne savait pas quand, car cela dépendait d'elle car elle était encore mariée, et leur avenir, et l'avenir en général, était obscur et incertain, et mon frère me pria d'arrêter d'appeler sa petite amoureuse sa petite amoureuse, et l'oncle sur son lit d'hôpital nous disait souvent de ne pas y aller trop fort avec les fleurs et les arbres, car il aimait beaucoup le jardin comme il était, plat, vert, et entouré d'une haute haie.

Le jour de sa sortie de l'hôpital, l'oncle nous attendait dans le couloir, devant sa chambre, et il était agité, et il tenait un sac plastique avec du linge sale à la main, et il portait son sac à dos sur le dos, et il a sursauté quand il nous a enfin vus arriver, et il a dit qu'il était prêt depuis des heures, et il a donné le sac de linge sale à mon frère, et l'infirmière est arrivée, et elle nous a rapidement expliqué la marche à suivre : une douzaine de cachets à gober tous les jours avant chaque repas, surtout pas de viande, pas de viande ni de sucre, mais par contre beaucoup de marche, quarante-cinq minutes de marche quatre fois par semaine, et puis en ce qui concernait les anticoagulants, elle a dit que l'oncle devait faire bien attention à ne pas se blesser, et si vous avez l'impression de prendre du poids subitement et de devenir bleu, appelez les urgences, a dit l'infirmière à l'oncle sur le ton de quelqu'un qui s'adresse à un enfant un peu attardé, puis elle nous a donné les papiers de sortie, et nous l'avons remerciée, et l'oncle aussi l'a remerciée, très, presque trop chaleureusement, et il a ajouté qu'il avait passé un magnifique séjour ici, et l'infirmière a ajusté ses lunettes rondes et roses, et nous avons quitté la chambre, et l'oncle était heureux, et il traînait la patte plus vite que d'habitude, et nous sommes allés déposer les papiers de sortie à l'accueil, et juste avant de sortir de l'hôpital, l'oncle nous a demandé de patienter quelques instants, car il avait fortement besoin d'aller aux toilettes.

De retour à la maison, l'oncle eut beau nous promettre tout un tas de choses, nous ne pouvions nous empêcher de le surveiller, et il y avait cependant une assez grande différence entre ma surveillance et celle de mon frère, car moi je surveillais l'oncle du coin de l'œil, le plus discrètement possible, tandis que mon frère était tout le temps sur le dos de l'oncle, et il allait frapper à la porte de sa chambre pour voir s'il se tenait un peu à la verticale, et il ramassait les tickets de caisse dans les cabas pour voir si l'oncle avait acheté des sucreries ou de l'alcool, et il lui demandait cinquante fois par jour s'il avait bien pris ses médicaments, ce qui ne l'empêchait pas de compter les gélules et les plaquettes et d'inspecter les boîtes.

Pour qu'il ne confonde pas les médicaments, j'ai collé des gommettes sur les emballages, une gommette jaune pour les médicaments du matin, une gommette verte pour les médicaments du midi, et une gommette rouge pour les médicaments du soir, et le soir, l'oncle doit prendre huit cachets d'un coup, et d'abord il les sort un par un de leurs emballages, puis il en fait un petit tas sur la table, et ensuite, il pose les huit cachets un par un sur sa langue, et il lui arrive souvent de parler en même temps, et quand il parle en même temps il y a toujours au moins un cachet qui retombe sur la table, et quand cela arrive, l'oncle ramasse le cachet et il le remet sur sa langue, avec les autres cachets, et ensuite, il ne parle plus, et il essaie de bien les garder en équilibre sur sa langue, et il se sert un verre d'eau, puis il avale ses médicaments, et une fois les médicaments avalés, il dit, on a bien mangé, et il monte dans sa chambre pour regarder la télévision.

Mon frère trouvait que c'était important que l'oncle retourne travailler au plus vite, mais le médecin avait remis l'oncle en arrêt maladie pour un mois de plus, alors tous les matins l'oncle se levait, et il prenait son petit déjeuner, et il allait tirer à l'arc dans l'atelier, puis il allait faire un tour à scooter, et il passait au supermarché, puis à la banque pour voir combien d'argent il lui restait sur son compte, et un jour l'oncle est revenu avec des talkies-walkies, et nous les avons testés, et ils fonctionnaient jusqu'à plus de trois cents mètres de distance, et depuis lors, quand le dîner était prêt, nous appelions l'oncle au moyen du talkie-walkie.

Ma chambre se trouve en face des toilettes, et quand nous étions petits, mon frère et moi nous partagions cette chambre pendant les vacances, et nous la partageâmes jusqu'au jour où nous décidâmes de ne plus la partager, et ce jour-là mon frère décida de couper le garage en deux et de construire une cloison, travaux que l'oncle au début voyait d'un mauvais œil, et qu'il n'approuvait pas du tout parce que ça lui enlevait la moitié du garage et ça l'obligeait à garer son scooter tout près de la tondeuse, mais l'oncle, après bien des tentatives infructueuses, a finalement réussi à trouver une façon de glisser son scooter entre la tondeuse et les vieilleries du grand-père entreposées là, et moi, je me suis habituée à dormir seule dans la chambre en face des toilettes.

L'oncle, depuis son retour, souffrait de graves incontinences nocturnes, et comme j'avais un sommeil léger, je restais allongée dans mon lit les yeux grands ouverts et j'écoutais l'oncle descendre les escaliers et ouvrir la porte des toilettes, et je l'écoutais se soulager et gémir aux toilettes, parfois pendant plus d'une heure, et je ne sais pourquoi, mais la nuit, aux toilettes, l'oncle laissait la porte ouverte, et je n'osais jamais me lever pour lui demander de fermer la porte, je restais dans mon lit à écouter, et l'oncle disait oh zut et oh merde quand il arrivait trop tard, puis il se précipitait dans la salle de bains où il actionnait le jet de la douche, et laissant l'eau couler, il retournait aux toilettes, et il se parlait à lui-même, il se disait des choses que je ne comprenais pas car il avait la délicatesse de murmurer ces choses, et on aurait dit qu'il s'adressait à quelqu'un, et après avoir tiré la chasse, il retournait dans la salle de bains sans cesser de chuchoter, et il éteignait le jet d'eau, et il allait dans la cuisine où se trouve la machine à laver, et je l'entendais encore gémir devant la machine à laver, sûrement parce qu'il devait se baisser pour choisir le programme de lavage, et je devinais à chaque fois ce qu'il était en train de faire, et dans la cuisine il mettait son slip souillé à la machine, et l'oncle faisait tourner une machine pour un seul et unique slip souillé, et à l'aube il y avait encore des traces le long de la cuvette, et sur la lunette, et sur le sol aussi, et mon frère n'hésitait pas à aller réveiller l'oncle pour lui dire de nettoyer ou de mettre des couches pour adultes si vraiment ça ne va pas, mais une fois c'était la faute des cacahuètes, et une autre fois celle du jus de fruits, et l'oncle s'en allait chercher un chiffon et de l'eau chaude pour nettoyer les toilettes comme son neveu lui avait demandé.

Mon frère et sa petite amoureuse s'étaient organisés une virée en Italie, et la petite amoureuse de mon frère connaissait déjà bien l'Italie, si bien qu'elle lui avait promis de lui faire visiter Rome en seulement quatre jours, car c'était une petite amoureuse très occupée qui n'avait que quatre jours à consacrer à Rome, et c'est pourquoi ils avaient prévu de se retrouver en Suisse, d'où ils se rendraient facilement en Lombardie, puis ils traverseraient la région des lacs dans une voiture de location, et ils s'arrêteraient pour manger des glaces à Como et des pizzas au bord du lago Maggiore, et mon frère m'a dit que sa petite amoureuse lui avait promis qu'elle lui montrerait la « machine à écrire » qui est un monument romain, et l'ancien Panthéon, et la fontaine des Tortues, et le dôme de Saint-Pierre, et tout ce que Rome compte de merveilles en quatre jours.

Et alors que mon frère était impatient de partir pour l'Italie, l'oncle a reçu un appel d'Erwan qui expliquait que l'abbaye fermait pour un temps incertain, et qu'il valait mieux que l'oncle reste chez lui, et qu'il valait mieux ne pas aller en vacances en Italie, et c'est ainsi que nous nous sommes retrouvés coincés au village, dans notre vieille maison venteuse, avec l'oncle qui était heureux comme un pape, et pour l'oncle cette nouvelle était un miracle, une récompense tombée du ciel, et il recommença à tondre la pelouse très lentement, un petit mètre carré de pelouse chaque jour, et je l'entendais converser avec le voisin monsieur Charrieau qui tondait également sa pelouse, et ils étaient face à face avec leurs tondeuses semblables à deux poussettes, et l'oncle parlait très fort et monsieur Charrieau aussi, car les tondeuses étaient encore en marche, et l'oncle disait à monsieur Charrieau, tu vois, on est tous pareils maintenant, tous comme moi, et monsieur Charrieau qui portait des grosses lunettes de soleil noires souriait, mais c'était le sourire de quelqu'un qui n'a pas vraiment entendu ce que l'autre vient de dire, à cause du bruit de la tondeuse probablement, et parce que Mildiou, le chien des Charrieau, était arrivé en courant, et il aboyait, mais ça ne dérangeait pas l'oncle, il poursuivait la tonte de son jardin, et le voisin la tonte du sien, et monsieur Charrieau donnait de petits coups de pied à Mildiou, et le chien avait le poil gris et emmêlé, comme s'il venait de se rouler dans la vasière, et le jardin du voisin était irréprochablement tondu et vert, comme si monsieur Charrieau en avait peint chaque brin d'herbe.

Mon frère avait réussi son examen d'espagnol en ligne, presque un sans-faute, et il était fier de lui-même, et il était de bonne humeur, et il a mélangé le savon noir et l'eau dans un vaporisateur rose, et comme tous les jours il a arrosé chacune des feuilles de chacun de ses arbres en commençant par le cerisier, et il disait qu'ainsi il n'y aurait plus de pucerons, et que les fourmis crèveraient et que c'était dommage mais nécessaire, et mon frère a appelé l'oncle, et il a dû crier très fort pour que l'oncle l'entende, car c'était un après-midi et souvent l'après-midi l'oncle dort dans sa chambre, mais mon frère n'a pas lâché le morceau, et il a continué à appeler l'oncle, et l'oncle a finalement sorti sa tête par la fenêtre et il a dit : qu'est-ce qu'il y a, sèchement, sur un ton presque énervé, et mon frère lui a répondu sur un ton un peu plus énervé encore : tu ne peux pas essayer de laisser un peu plus d'herbe autour des fruitiers quand tu tonds la pelouse, je te l'ai déjà dit, ils ont besoin de beaucoup d'herbe autour pour grandir, et l'oncle a dit ouais ouais, et comment dire, et il a ajouté qu'à la télévision ils avaient dit que les frontières des pays allaient fermer, et mon frère a demandé de quelles frontières il s'agissait exactement, et l'oncle a dit qu'il ne savait pas, puis il a fermé la fenêtre, et dehors il faisait étrangement chaud pour le début du printemps, et j'étais assise sur une chaise de jardin, et mon frère avait les larmes aux yeux devant ses arbres dont il a continué à humecter les feuilles, celles du cognassier et celles du plaqueminier, celles du pommier et celles du cerisier, et mon frère savait à présent qu'il n'allait pas revoir sa petite amoureuse avant un bon bout de temps.

10

Il y eut une tempête, une nuit, des vents jusqu'à cent trente kilomètres-heure, et mon frère était dans sa chambre et moi dans la mienne, et nous avons tous les deux entendu un grand bruit, et nous avons jailli de nos chambres car nous nous inquiétions pour l'oncle et nous nous imaginions qu'il était tombé ou qu'il s'était fait écraser par quelque chose de lourd, et passant devant la fenêtre qui donne sur le jardin, nous vîmes l'antenne de la télévision qui gisait sur le sol, et nous étions soulagés car c'était l'antenne et non l'oncle qui venait de tomber du toit, et l'antenne datait des années soixante-dix, et depuis ce jour elle se trouve dans notre jardin comme un gigantesque râteau rouillé, ou comme un débris de satellite tombé du ciel.

Le jour de la chute de l'antenne, c'était aussi le jour de l'anniversaire de l'oncle, et à l'heure du déjeuner, nous l'avons appelé avec le talkie-walkie, mais le talkie-walkie n'avait plus de batterie, et alors mon frère s'est positionné en bas de l'escalier et il a crié : à table, et l'oncle a crié :

j'arrive, et il est descendu et nous avons chanté joyeux anniversaire pendant tout le temps qu'il descendait l'escalier, et mon frère avait préparé un plat de lentilles vertes avec des carottes et des feuilles de laurier, et moi j'avais préparé une mousse au chocolat dans laquelle j'avais planté deux bougies, une en forme de cinq et une en forme de trois, et j'ai allumé les bougies, puis avec mon portable j'ai pris une photo de l'oncle, et sur la photo l'oncle tient son assiette de lentilles devant son visage et il fait une grimace dégoûtée, et il a souhaité que j'envoie la photo à sa sœur, car cela la ferait sûrement rire, et j'ai donc envoyé la photo à ma mère, et j'ai conseillé à l'oncle de souffler vite sur les bougies, sachant que les deux bougies s'enfonçaient à vue d'œil dans la mousse, et l'oncle s'est préparé à souffler et nous lui avons dit de faire un vœu, et il a fait un vœu à voix haute, et son vœu était de pouvoir retourner le plus vite possible au supermarché, puis l'oncle a soufflé très fort, et en soufflant, il a postillonné partout, et mon frère et moi nous avons applaudi.

Le vent avait abîmé les feuilles des arbres, et les feuilles étaient toutes trouées et desséchées, surtout celles du pommier, et mon frère disait que c'était grave car le pommier était l'arbre pollinisateur et qu'en plus des feuilles, le vent avait également arraché des branches, et il s'énervait aussi parce que sa petite amoureuse avait bien reçu le bouquet de fleurs mais qu'elle n'avait pas compris le calcul, alors mon frère s'est vu contraint d'expliquer la surprise à sa petite amoureuse, et il s'est avéré que le fleuriste avait mal compté, et que ce con de fleuriste avait rajouté deux roses, et bien sûr ainsi c'était absolument impossible que sa petite amoureuse comprenne le calcul, disait mon frère, et il jeta sa balle déstressante pour chien par terre, et il disait que de toute manière c'était une situation absurde, et qu'il en avait marre d'être ici et que l'oncle ne faisait aucun effort, et qu'il faisait exprès de tondre à ras des arbres, et qu'il n'aérait jamais sa chambre, et qu'il ne changeait jamais ses draps, et qu'il mangeait beaucoup trop de biscuits au chocolat, et qu'il ne bougeait pas, et qu'il se lavait encore moins qu'avant, et qu'il en avait marre de trouver les toilettes pleines de merde tous les matins, et mon frère disait à l'oncle : tu n'es quand même pas un chien non, et l'oncle ne disait rien, il se tenait en position de ballerine dans le jardin, et il regardait bien attentivement mon frère mais il ne disait rien, et mon frère s'est mis à pleurer et il lui a hurlé dessus, et il a dit à l'oncle que s'il continuait comme ça, il allait mourir, mais l'oncle ne réagissait toujours pas, et dehors, il a commencé à pleuvoir et mon frère est sorti dans le jardin, et il s'est dirigé vers le pommier cadavérique, et il a agrippé le tronc du pommier, et il pouvait l'encercler entièrement avec ses mains tellement l'arbre était chétif, et mon frère a commencé à secouer l'arbre, et il était tellement triste et furieux qu'il l'a secoué très fort, et il a tiré dessus avec toute sa force et il a tordu le tronc, et je me suis approchée de mon frère et je lui ai dit d'arrêter tout de suite, de laisser les arbres tranquilles, mais mon frère a dit ne m'approche surtout pas, et il avait le regard plein de rage, et la pluie nous tombait dessus, et mon frère a tiré tellement fort qu'il est tombé sur les fesses, puis il s'est retourné, et à quatre pattes, il a arraché des mottes de terre, et il a creusé jusqu'aux racines de l'arbre, et il avait plein de terre humide sur son pantalon, et il s'est relevé pour tirer à nouveau sur l'arbre jusqu'à ce qu'il y parvienne et qu'il sorte le pommier de la terre, et l'oncle et moi, nous avions bien compris que mon frère essayait de détruire ses arbres, et normalement l'oncle adore quand il y a des bagarres à la télé et des disputes à la maison, mais en regardant son neveu arracher les arbres qu'il avait si soigneusement plantés, l'oncle avait l'air profondément confus, et il ne disait rien, il se tenait dans le jardin à côté de moi, et moi je sentais une boule au fond de ma gorge, et mon frère est allé vers le cerisier, et il a d'abord fait la même chose qu'avec le pommier, il a secoué le tronc, mais ensuite il a arraché le tuteur, et avec le tuteur il a donné des coups contre le tronc, et il a crié aussi, et le tuteur s'est cassé en deux, puis mon frère a arraché les branches, et l'oncle et moi nous l'avons regardé faire, et c'était tellement triste de voir mon frère en colère, comme si tout le monde était son ennemi et que rien ne pouvait l'arrêter, et alors je n'avais d'autre choix que d'espérer que mon frère finisse par s'épuiser, car je n'osais plus m'approcher de lui, ni le prendre dans mes bras, mais ce jour-là, mon frère a eu assez de colère pour arracher tous les fruitiers, et le soir mon frère n'avait pas faim, il est resté assis sur le canapé, et l'oncle a timidement demandé si c'était possible de commander une nouvelle antenne, parce que sans la télévision ce n'était pas pareil, et il voulait aussi savoir si nous comptions partir, mon frère et moi, quand il y aura de nouveau des trains, et c'était la première fois que l'oncle nous signifiait qu'il voulait qu'on parte, et j'ai dit en blaguant, tu veux qu'on parte, et l'oncle a dit non non, c'était juste pour savoir, et nous avons tous ri, même mon frère, mais au fond, nous étions tout de même un peu vexés.

Les fruitiers étaient couchés sur la pelouse du jardin comme s'il s'agissait d'une espèce d'arbres qui poussent à l'horizontale, et mon frère lançait de rares regards furtifs vers l'extérieur, il ne remettrait plus, disait-il, un pied dans ce jardin qu'il avait transformé en cimetière.

Quelques jours plus tard, mon frère se décida à partir, il devait changer d'air, et il voulait voir sa petite amoureuse coûte que coûte, et il avait loué une voiture avec laquelle il prévoyait de rejoindre la frontière espagnole, et il disait qu'après toutes ces leçons d'espagnol, il allait bien pouvoir se débrouiller avec les douaniers à la frontière, et il me fit aussi comprendre qu'il n'en pouvait plus de l'oncle, que la situation était trop difficile, et qu'il ne fallait pas se faire d'illusions, on n'allait pas pouvoir le remettre sur le droit chemin, et que ça faisait déjà trop longtemps qu'il vivait comme ça, comme un chien ou comme un chat ou comme un cochon peut-être, et je lui ai dit qu'il avait sans doute raison, et l'oncle a descendu l'escalier pour dire au revoir à son neveu, et mon frère a pris l'oncle dans ses bras, et il lui a tapé sur l'épaule en lui disant de bien faire attention à lui, et l'oncle a dit : pas de problème et qu'il venait de voir une scène de combat dans un film, un énorme étripage, dit l'oncle avec excitation, et mon frère s'est tourné vers moi et nous nous sommes pris dans les bras, et j'ai senti son corps tendu et raide, comme s'il était fiché dans la terre jusqu'aux genoux, et raide comme ça mon frère a fermé la porte derrière lui, et même si je savais qu'il n'était probablement même pas encore assis dans la voiture, j'avais le sentiment qu'il se trouvait déjà à des milliers de kilomètres de moi, qu'il voulait peut-être se retrouver seul dans sa propre agitation, et donc, sans vraiment m'en rendre compte, j'avais décidé de rester chez l'oncle.

L'oncle entra dans une phase d'hibernation d'avant-printemps immédiatement après le départ de mon frère, et je ne percevais sa présence que grâce aux grincements du plancher, et l'oncle ne descendait plus pour tondre la pelouse, ni pour tirer à l'arc, et il ne s'intéressait plus aux pièges à taupes qui n'avaient plus de piles, et je dois dire que cela m'arrangeait pas mal.

Un jour que l'oncle n'avait pas montré le bout de son crâne depuis quarante-huit heures, je suis allée en bas de l'escalier pour l'appeler, et je commençais à trouver ça inquiétant qu'il ne descende même pas pour faire ses besoins, ni pour se réapprovisionner en biscuits au chocolat, et l'oncle ne répondait pas, et j'ai tourné en rond, et je me disais qu'après tout il avait bien le droit de se retirer et de ne pas me répondre, il ne me devait rien je n'étais que sa nièce et lui l'oncle, et puis soudain une image m'est revenue, l'image d'une nuit récente et agitée, l'image de l'oncle disparaissant dans la canalisation des toilettes, et j'ai couru aux toilettes.

Je suis allée voir aux toilettes, mais aux toilettes il n'y avait rien de bien intéressant sinon le mur jaunâtre et ses chiures de mouches et quelques toiles d'araignées dans les coins, une pièce saturée d'odeurs stagnantes, un peu lointaines, d'odeurs fantômes qui sont comme les traces de millions de passages dont il ne resterait qu'un remugle pas foncièrement désagréable, juste un peu lourd, imprégné dans l'épaisseur des cloisons, et je me suis baissée vers la cuvette des toilettes, et les mains en porte-voix, j'ai crié : à table, sachant que la nourriture attire l'oncle, et comme il ne répondait toujours pas je suis montée dans sa chambre, et j'ai ouvert la porte et j'ai vu que sa chambre était vide, elle semblait encore plus vide qu'après que nous l'avons rangée, pas de jouets qui traînaient, pas d'odeur de tabac, pas de déchets sur le sol ni ses béquilles jaunes, seulement l'arc et le carquois dans un coin, qui se tenaient là comme s'ils attendaient quelque chose, ou peut-être quelqu'un, et sans y réfléchir, j'ai saisi l'arc et le carquois.

Et j'ai fait et refait le périple du jardin, et j'ai regardé sous le thuya, cent fois à tout hasard, sachant que l'oncle n'est plus de taille à se glisser sous la haie comme le font les faisans pour y pondre leurs œufs, et mis à part les pierres qui étaient peut-être des œufs de faisan sur le point d'éclore, il n'y avait rien à voir sous les branchages, et je m'en suis retournée à la maison, et c'est alors que j'ai découvert deux lignes de trous en quinconce qui allaient de la porte d'entrée au portail, et j'ai reconnu les traces laissées par les béquilles dans les graviers, et je me suis fiée à mon pressentiment, et je lui ai emboîté le pas.

II

Je laisse la maison derrière moi et déjà les traces de béquilles s'estompent devant le pré où les chevaux sont nombreux à brouter et à se racler les chanfreins contre les poteaux pour éloigner les mouches, et rien ne sert alors de leur demander si par hasard ils auraient vu passer un petit homme rond muni de béquilles, ils ne peuvent l'avoir vu tout occupés qu'ils sont à leur vie de vieilles rosses, et près d'une jument il y a une jeune cavalière qui prépare ses brosses et ses cure-sabots, et la jeune fille éternue à cause du pollen et à cause du crottin du cheval dont elle va curer les sabots, et je m'approche de la cavalière, et nous nous saluons, et je lui demande si, à tout hasard, elle n'aurait pas aperçu l'oncle, un petit homme rond et boiteux avec deux béquilles en guise de bâtons de marche, et la cavalière me regarde, elle a les yeux pleins de collyre, me dit-elle, et que ça lui floute la vue et que non, pas d'oncle béquillard, une tante peut-être, une tante oui, mais pas d'oncle ici près des écuries, et je la remercie et je lui dis qu'elle devrait leur mettre des masques, à ses pauvres chevaux, des masques contre les mouches, mais elle ne semble déjà plus m'écouter, et elle soulève la jambe du cheval et le cheval se laisse faire, et je me dirige vers un champ de blé, et le blé a beaucoup poussé ces derniers jours, et cela m'inquiète, car aux alentours du hameau, nombreuses sont les victimes du printemps, de la saison de l'aubépine et du grillon, et comme l'oncle n'est toujours pas dans les parages et, songeant aux paysans, à leurs bêches, à leurs épandages de poison et à leurs machines féroces, je me dis qu'il est fort possible que l'oncle se soit endormi dans un champ et qu'il n'ait pu, lent comme il est, échapper à une pluie de produit toxique, et il ne manquerait plus que ça, l'oncle parmi les victimes de la saison du pissenlit, mais doutant tout de même de ce que l'oncle, craintif comme il est, se soit exposé à pareille menace, je poursuis mon chemin par le seul chemin qui s'offre à moi, c'est-à-dire par la petite rue qui serpente à travers le hameau, et devant la maison des Charrieau, je rencontre madame Charrieau qui fait une nouvelle coupe à ses rosiers, et son chien Mildiou se tient à côté d'elle, et je lui demande si, par hasard, elle n'aurait pas vu l'oncle, l'oncle qu'elle connaît bien, depuis toutes ces années qu'elle le voit passer sur son scooter devant chez elle, et madame Charrieau me demande ce que je peux bien faire avec cet arc et ces flèches, et elle me dit que son mari, monsieur Charrieau, est un chasseur aguerri, un grand spécialiste, et qu'il n'a jamais été question de chasser à l'arc, m'explique-t-elle, au contraire, ici ce sont les chiens qui débusquent le gibier dans lequel monsieur Charrieau loge les balles de son fusil, le gibier qui faisande par la suite au sous-sol près des culottes propres de madame Charrieau, mais il se trouve que monsieur Charrieau a eu une bronchite, puis une otite, puis une conjonctivite, la cataracte, et qu'il est borgne à présent, et qu'il craint d'abattre le petit Mildiou en chassant, m'explique madame Charrieau, et elle me dit que l'autre jour, elle a vu que l'oncle portait encore son blouson qui lui donnait l'air d'un bossu médiéval, et j'en profite pour lui expliquer que l'oncle a disparu depuis plusieurs heures et que je trouve ça inquiétant, car avec sa hanche défectueuse et son gros palpitant qui pompe mal, il se contente habituellement d'une promenade le long de la haie, une petite dizaine de minutes, tout au plus, et là, madame Charrieau, ça fait déjà six heures qu'il est parti, puis madame Charrieau essaye de me rassurer, elle me dit qu'il ne doit pas être bien loin, et qu'elle demandera à son mari de jeter un coup d'œil par-ci par-là, mais encore faut-il que ce soit le bon œil, madame Charrieau rigole et je la remercie et je la laisse à ses roses, et la ruelle se prolonge par un sentier qui borde la baie, et j'ai subitement du mal à me représenter l'oncle s'engageant dans cet étroit passage à flanc de falaise, marchant en crabe avec ses béquilles, mais c'est pourtant la seule voie qu'il ait pu emprunter, la voie dangereuse, la voie glissante, celle que les Charrieau dédaignent par peur de se casser le col du fémur, alors, me dis-je, il a fallu que ce soit grave pour que l'oncle, flemmard comme il est, quitte la douce puanteur de sa chambre, très grave même, car s'il y a bien une chose à laquelle l'oncle tient, c'est à sa petite routine, et je me dis que je suis bête, car j'aurais dû regarder s'il s'était au moins préparé un casse-croûte ou s'il avait au moins embarqué une bouteille de Coca, parce que ce n'est vraiment pas son genre de partir dans la précipitation, sans prévenir, à pied qui plus est, comme s'il avait agi sur un coup de tête, un grand ras-le-bol, et advienne que pourra, sûrement qu'il en avait soupé de sa famille qui le traitait comme un gros bébé, comme un chiot, et sûrement qu'il n'en pouvait plus de moi, j'avais dépassé les bornes et je m'étais trop mêlée de ce qui ne me regardait pas, et l'oncle voulait continuer à se nourrir de charcuterie bas de gamme et de barres de chocolat, et il voulait continuer à s'envoyer des litres de soda et d'ailleurs, le liquide atroce que nous le forcions à boire, l'eau, lui donnait de violentes diarrhées, et il ne voyait pas l'intérêt de se laver les mains, ni les pieds, ni le reste du corps, et il ne voulait plus se laver, jamais, non, il voulait patauger dans sa bauge et plutôt crever que de retourner à la maison, et je m'enfonce dans les broussailles du sentier qui ne semblent pas avoir été taillées depuis des lustres, les fougères me caressent le menton, les orties et les frondaisons piquantes des mûriers me remontent jusqu'aux épaules, et je serre les lèvres pour ne pas avaler une guêpe ou, qui sait, un plus gros volatile qui stopperait là ma virée, et ça gazouille dans les ronciers, et ça bondit, et je me sers de l'arc de l'oncle comme d'une faux et je fauche le mouron et les herbes hautes, mais la végétation se densifie à mesure que je progresse, et les branchages me griffent et me giflent, et j'avise, à la pointe des fougères, d'énormes tiques gorgées de sang de mouette et de chevreuil, des tiques pleines de maladies graves, qui piaffent de planter leurs rostres dans la première cuisse venue, et j'ai l'impression d'enfler, d'être un animal énorme et lent, comme si l'étroite sente de mon enfance n'était plus à ma taille, et je me mets à quatre pattes, puis à plat ventre, pour aller plus vite, et je remarque que l'humus est tout aussi peuplé que l'air, et je roule sur le lombric, et je roule sur le carabe, et je terrifie le bousier, et je commence à me sentir comme une viande indescriptible, comme une bête rarissime, mais il faut dire qu'on s'habitue vite à cette locomotion au ras des pâquerettes, à cette perspective de chenille, et je rampe ainsi, balayant les obstacles d'un revers de la main pendant ce qui me semble être des heures, des jours peut-être, mais il est fort probable que ma conception du temps soit désormais celle des escargots, et je rampe et je rampe et soudain je vois les mouches, des mouches vertes, métalliques, mordorées, des mouches qui pondent sur leur nourriture, et là devant moi c'est un véritable festin, et s'il y a une matière en laquelle je suis passée experte au cours de ces derniers mois, c'est bien la matière fécale, et plus particulièrement celle de l'oncle, et voyant le puant monticule infesté de mouches, je peux dire avec certitude que l'oncle s'est rendu dans la baie par ce chemin, et je pousse jusqu'à l'escalier rocheux tapissé de lichens et d'algues, et je le descends et j'atterris dans le sable humide de la baie, dans l'énorme puits vide et rafraîchissant de la baie, et il n'y a pas grand-chose à voir au fond de la mer absente, deux ou trois petits rochers au milieu, et des algues vertes qui sentent le soufre, et des carapaces de crabes ou des coquilles de moules, et j'essaie de regarder au loin pour voir si quelque chose bouge, là-bas, quelque chose qui pourrait être l'oncle, mais c'est toujours pareil, plus on regarde au loin, plus la ligne d'horizon se confond avec la ligne de mer et forme comme une seule paroi grise, et dans cet effet de mirage, les sons, le vent et les cris des mouettes s'intensifient, et les cris, qui sont toujours très forts au début, finissent par se perdre quelque part dans les nuages, entre deux vents salés, que sais-je, et en entendant les mouettes crier comme ça, je me dis que cette recherche est inutile, et que l'oncle a sans doute été dévoré depuis longtemps par un animal ou par la mer, et j'imagine déjà comment je rebrousse chemin, et comment je lance l'arc de l'oncle dans un buisson quelque part, et comment je trouve la maison vide, et comment je ne pourrai jamais vraiment expliquer ce qui s'est passé, plus tard, quand quelqu'un me demandera où l'oncle est passé, mais plus je m'approche des mouettes, plus elles crient comme s'il y avait quelque chose à manger ici, et au milieu de la baie il y a ces rochers, et sous les mouettes, sur l'un des rochers, je vois deux béquilles jaunes, et je m'approche et c'est alors que je vois l'oncle qui est assis sur le rocher, ses béquilles sont posées dans le sable à côté d'un tas de bulots vides et d'une bouteille de Coca à moitié pleine, et ses bras sont griffés, et je n'ose guère m'approcher de l'oncle qui est encerclé par un escadron de mouettes crieuses, et l'oncle semble occupé, et plissant les yeux comme si je contemplais un menhir dans la brume, je vois que l'oncle tient une petite mouette dans ses mains, et il lui parle et il la caresse, et alors seulement je me dis qu'il est en vie, et d'un geste brusque et déterminé, l'oncle tord le cou de la mouette, et ça craque aussitôt, et l'oiseau n'a pas le temps de se défendre et il cède immédiatement dans la paume de l'oncle, et comme si le spectacle était terminé, les autres mouettes s'envolent, et l'oncle passe le petit cadavre d'une main à l'autre, comme s'il pouvait à présent évaluer son poids, et alors l'oncle commence à retirer le jaune, c'est-à-dire le bec et les pattes, et il le jette sur la pile de coquillages, et en un clin d'œil l'oncle déplume l'oiseau, et l'oncle l'approche de son visage et il mord dans la chair rose et obscène, et le sang coule sur la figure de l'oncle et sur les mains de l'oncle, et je cours, et je me jette sur l'oncle, et me voyant arriver l'oncle s'immobilise, et il tressaille, et il essaie même de dissimuler la mouette derrière son dos, mais j'ai tout vu et je lui crie dessus très fort, et je lui rappelle aussi que le médecin lui a interdit de manger de la viande, et je regarde son visage barbouillé de sang, de bave et d'une sorte de poil de mouette qui lui colle aux lèvres, et pris en flagrant délit l'oncle s'excuse, il dit qu'il a cru que le médecin ne lui avait interdit que la viande rouge, et la mouette ce n'est pas de la viande rouge, et il s'excuse encore et encore, et il me demande ce que je pensais faire avec son arc et ses flèches ici dans la baie, et je ne dis plus rien, je le regarde, et l'oncle pose la mouette sur le tas de coquillages, et le tas s'affaisse légèrement, et l'oncle se penche et attrape la bouteille de Coca, et il boit une grande goulée de Coca pour faire passer la mouette, et il boit si vite qu'il rote, mais pas de façon grossière ou bruyante, non, c'est plutôt un rot discret, un rot tout à fait à l'intérieur de lui, un haut-le-cœur.

12

Parfois, sans même que j'aie eu à l'appeler et sans même l'avoir entendu descendre, l'oncle est déjà assis à table, comme s'il avait trouvé une manière de voler, et souvent après sa sieste, ses sourcils remontent sur les côtés, comme des cornes, ce qui veut dire qu'il vient de se réveiller, et quand ses sourcils remontent ainsi, nous n'échangeons que des borborygmes, car je sais que l'oncle vient de se réveiller de sa sieste et qu'il n'aime pas parler quand il se réveille de sa sieste, et nous grognons et nous sifflons, et l'oncle regarde l'écran noir de la télévision, et après le déjeuner, l'oncle se lève pour aller chercher du fromage, et il coupe un gros quart de son fromage, et une fois le fromage avalé, l'oncle semble s'être réveillé un peu et il sort dans le jardin.

Il traverse le jardin, passe à côté des fruitiers saccagés et de l'antenne, il se dirige vers la haie, et devant la haie il se met d'abord à quatre pattes, puis il s'allonge carrément sur le ventre, et il écrase son ventre entre lui et le gazon, puis il tend les bras, et les bras tendus l'oncle se penche sous la haie, et il guette sous les branchages, il plonge ses mains dans les ronces, et je m'approche de l'oncle et je lui demande ce qu'il est en train de faire, et il dit qu'il cherche des œufs dans le bois des faisans, et que les œufs ressemblent à des pierres, et je me dis qu'il n'a peut-être pas assez mangé, et je m'accroupis à côté de l'oncle, je me mets dans la même position que lui, tout mon poids repose sur les os de mes hanches, et je tends les bras et j'essaie de m'avancer le plus possible sous la haie, et de l'autre côté de la haie, il y a la route.

J'entends les voix de monsieur et madame Charrieau qui promènent leur chien Mildiou sur la route de l'autre côté de la haie, et Mildiou s'immobilise à notre hauteur, et il grogne, et il remue la queue entre les chevilles des Charrieau, et madame Charrieau dit : viens là Mildiou, mais Mildiou ne l'écoute pas, et il court sous la haie, et il lèche la main de l'oncle et il nous renifle, et il se frotte contre nos têtes, et monsieur et madame Charrieau s'exclament : reste là Mildiou, il n'y a plus personne ici, tu vois, il y a que des bestioles et des œufs de bestioles, et les voix des Charrieau résonnent et se dispersent dans l'air humide, en ultrasons étourdissants, en sifflements lointains, et Mildiou, il faut le dire, c'est un vieux chien sourd, et il lui manque une ou deux canines, cela se voit quand il sourit.

Dans la même collection

Lutz Bassmann
Haïkus de prison
haïkus

Avec les moines-soldats
entrevoûtes

Les aigles puent
roman

Danse avec Nathan Golshem
roman

Ahmed Bouanani
L'hôpital
récit

Pierre Demarty
Le petit garçon sur la plage
roman

Camille de Toledo
L'Inquiétude d'être au monde
chant

Tonino Devienne
Domaine de Breakdown
récit

Laure des Accords
L'envoleuse
roman

Grichka
roman

Pavel Hak
Vomito negro
roman

Guka Han
Le jour où le désert est entré dans la ville
roman

Samy Langeraert
Mon temps libre
roman

Anne Pauly
Avant que j'oublie
roman, Prix du Livre Inter 2020

Christophe Pradeau
La Souterraine
roman

Lionel Ruffel
Le Dénouement
essai

Tiphaine Samoyault
La Montre cassée
essai

Sarah Stréliski
Accident
roman

Cet ouvrage a été achevé d'imprimer en mai 2021
dans les ateliers de Normandie Roto Impression S.A.S.
61250 Lonrai
N° d'imprimeur : 2102271
Dépôt légal : août 2021

Imprimé en France